RTM

REVUE DES TRADITIONS MUSICALES

La *Revue des Traditions Musicales* (alias *Revue des Traditions Musicales des Mondes Arabe et Méditerranéen,* RTM) est un périodique scientifique annuel consacré aux traditions monodiques modales vivantes et/ou anciennes d'Asie occidentale et centrale, d'Afrique du Nord et d'Europe, et ce, dans une perspective musicologique générale et transdisciplinaire, qui met l'accent sur l'analyse musicale. La *RTM* est le fruit de la collaboration musicologique entre l'Université Antonine (Liban) et l'Université Paris-Sorbonne et, plus particulièrement, entre le Centre de Recherche sur les Traditions Musicales (CRTM, http://recherche.ua.edu.lb/crtm/), rattaché à la Faculté de Musique et Musicologie de l'Université Antonine, et l'Institut de Recherche en Musicologie (IReMus UMR 8223, France http://www.iremus.cnrs.fr/). Elle est coéditée par les Éditions de l'Université Antonine (EUA) et les Éditions Geuthner. Elle figure dans les bases de données scientifiques EBSCO, RILM et Manhal.

Comité de rédaction

(par ordre alphabétique)

Nidaa Abou Mrad, Université Antonine (rédacteur en chef)
Frédéric Billiet, Université Paris-Sorbonne, IReMus UMR 8223
Frédéric Lagrange, Université Paris-Sorbonne
Nicolas Meeùs, Université Paris-Sorbonne, IReMus UMR 8223
François Picard, Université Paris-Sorbonne, IReMus UMR 8223

Comité scientifique et de lecture

(en plus des membres du comité de rédaction, par ordre alphabétique)

Jean During, CNRS, France
Jean-Marc Chouvel, Université Paris-Sorbonne, IReMus UMR 8223
Jérôme Cler, Université Paris-Sorbonne, IReMus UMR 8223
Mahmoud Guettat, Université de Tunis
Xavier Hascher, Université de Strasbourg
Frédéric Lagrange, Université Paris-Sorbonne
Jean Lambert, Université Paris Ouest Nanterre La Défense
François Madurell, Université Paris-Sorbonne, IReMus UMR 8223
Dwight Reynolds, University of California - Santa Barbara

Directrice du numéro 12

Fériel Bouhadiba, Université de Tunis

Rédaction

Centre de Recherche sur les Traditions Musicales (CRTM), rattaché à la Faculté de Musique et Musicologie de l'Université Antonine
BP : 40016 – Hadat-Baabda Liban
Tél. : + 961 (5) 924073/4/6
Télécopie : + 961 (5) 924815
http://www.ua.edu.lb/nidaa.aboumrad@ua.edu.lb

RTM

Revue des Traditions Musicales

n° 12

Musicologie francophone du Maghreb

Mélanges offerts à Mahmoud Guettat

Les Éditions de l'Université Antonine

GEUTHNER

Le numéro 12 est publié avec le soutien de

L'Agence universitaire de la Francophonie
https://www.auf.org/moyen-orient/

En filigrane de la couverture

Cercle d'arborescence modale, *Kitāb fī ma'rifat al-anġām wa-šarḥihā*
[Livre de la connaissance des modes et de leur explication]
de Šams a-d-Dīn A-ṣ-Ṣaydawi (d.1506)

Université Antonine B.P. : 40016, Hadat-Baabda, Liban
Tél. : + 961 5 927000 - Fax : + 961 5 927001
Mél. : editions@ua.edu.lb - Site : www.ua.edu.lb

ISBN : 978-9953-552-86-6

16, rue de la grande chaumière - 75006 Paris

ISBN : 978-2-7053-4026-1

ISSN : 2072-3431

Composition de la couverture
Vincent Castevert et Chloé Heinis

RTM

Le n° 1 – 2007 est intitulé « Musicologie générale des traditions musicales ».

Le n° 2 – 2008 est intitulé « Musicologie des traditions religieuses ».

Le n° 3 – 2009 est intitulé « Systèmes mélodiques ».

Le n° 4 – 2010 est intitulé « Un siècle d'enregistrements, matériaux pour l'étude et la transmission (1) ».

Le n° 5 – 2011 est intitulé « Un siècle d'enregistrements, matériaux pour l'étude et la transmission (2) ».

Le n° 6 – 2012 est intitulé « Sémiotique et psychocognition des monodies modales (1) ».

Le n° 7 – 2013 est intitulé « Sémiotique et psychocognition des monodies modales (2) ».

Le n° 8 – 2014 est intitulé « Rythmes ».

Le n° 9 – 2015 est intitulé « L'improvisation *taqsīm* ».

Le n° 10 – 2016 est intitulé « Mélanges offerts à Jean During ».

Le n° 11 – 2017 est intitulé « Perception et apprentissage des traditions musicales ».

Sommaire

Éditorial ... 9

Biobibliographie de Mahmoud Guettat ... 11

Mahmoud Guettat. La musique arabe modèle d'un dialogue entre les cultures. 23

Mohamed Gouja. Musicologie francophone, arabe et maghrébine : l'œuvre de Mahmoud Guettat, approches émiques des traditions musicales ... 29

Samir Becha. La fondation institutionnelle de la musicologie en Tunisie : contextes, prétextes et nécessités ... 51

Fériel Bouhadiba. Tunisianité, maghrébinité, méditerranéité : *musiquer les cercles d'appartenance* ... 59

Fériel Bouhadiba. Rives euro-méditerranéennes et entrelacs musicologiques : la francophonie et l'apport de l'Autre ... 65

Yassine Guettat. Le *mālūf* tunisien : origines et mutations ... 75

Lamia Bouhadiba. Artistes, lois, institutions : les jeux d'influences dans le domaine musical ... 97

Nacim Khellal. L'image de la musique kabyle dans les écrits musico-orientalistes de Francisco Salvador-Daniel et Jules Rouanet ... 109

Mohamed Saifallah Ben Abderrazak. La contribution d'Antonin Laffage à la musicologie francophone du monde arabe ... 123

Anas Ghrab. Le baron Rodolphe-François d'Erlanger et la musicologie francophone en Tunisie ... 151

Résumés ... 163

Abstracts ... 169

Translittération phonétique des termes arabes et persans ... 174

Éditorial

Passionné, voici l'adjectif qui sied le mieux à Mahmoud Guettat dont le nom s'est fait synonyme de recherche musicologique en matière de musique arabo-andalouse ou andalou-maghrébine comme il préfère le dire et le défendre.

La volonté de rendre hommage à Mahmoud Guettat, père fondateur de la musicologie universitaire du Maghreb, a accompagné en filigrane deux rencontres internationales qui se sont déroulées à l'Université Antonine (UA) :

(1) la 9e Rencontre musicologique internationale de l'UA « Musicologie francophone de l'Orient » (6-8 novembre 2016)[1], qui a fait office de prologue à la mise en place du réseau international des musicologies francophones Épistémuse ;

(2) la deuxième rencontre internationale du réseau Épistémuse[2] « Acteurs et actrices des musicologies francophones : prosopographie et filiations » (29-30 novembre 2018)[3].

Ces deux rencontres ont comporté une sous-thématique inhérente à la musicologie francophone du Maghreb. Il va sans dire que l'intérêt pouvant être porté à cet égard aux musiques du Maghreb ne peut contourner la figure clé de Mahmoud Guettat qui a voué son œuvre à l'étude de leur passé et de leur présent, à la sauvegarde de leur identité et à l'institutionnalisation des recherches musicologiques dans cette aire géographique.

Le projet des *Mélanges offerts à Mahmoud Guettat* s'est ainsi naturellement profilé dans le sillage de ces rencontres, pour se concrétiser dans ce numéro 12 de la *Revue des traditions musicales* à travers les écrits de dix auteurs. Ce numéro, qui est publié par l'UA et Geuthner dans le cadre du réseau et du séminaire Épistémuse et avec le soutien de la Direction Régionale Moyen-Orient de l'Agence Universitaire

---

[1]Cette rencontre a été organisée par le Centre de Recherche sur les Traditions Musicales (CRTM), rattaché à la Faculté de Musique et Musicologie de l'Université Antonine, en association avec l'Institut de Recherche en Musicologie (IreMuÉs UMR 8223 – France), en collaboration avec le Salon du Livre Francophone de Beyrouth, le Centre de Recherches Moyen-Orient Méditerranée (CERMOM) et les Editions Geuthner, et avec le soutien de la Direction Régionale Moyen-Orient de l'Agence Universitaire de la Francophonie (AUF) et de l'Institut français au Liban (IFL). Elle a rassemblé une vingtaine de chercheurs affiliés à des institutions de recherche de six pays : le Liban, la France, la Tunisie, l'Algérie, le Canada et les Emirats Arabes Unis.

[2]L'*International Research Network* (IRN) Épistémuse, « Passé, présent et devenir des musicologies francophones : étude épistémologique, historique, historiographique et institutionnelle » est porté par le CNRS en France, représenté par l'Institut de Recherche en Musicologie (IReMus), UMR8223, CNRS – Sorbonne-Université Ministère de la culture – Bibliothèque nationale de France.Il est conçu en partenariat avec un réseau d'institutions francophones de recherche et/ou d'enseignement supérieur autour du monde : le Centre de Recherche sur les Arts et le Langage (CRAL), UMR8566, CNRS/EHESS, le Conservatoire National Supérieur de Musique et de Danse de Paris (CNSMDP), l'Observatoire Interdisciplinaire de Création de recherche en Musique (OICRM), au Québec, l'Université Antonine – Centre de Recherche sur les Traditions Musicales (CRTM-UA), au Liban, le CMAM en Tunisie, l'Université Libre de Bruxelles (ULB) – Laboratoire de musicologie (LaM) et L'Université de Liège (ULiège) – Laboratoire Traverses, en Belgique.

[3]Cette rencontre a été organisée par le CRTM et par l'IreMus, avec le soutien de l'AUF et de l'IFL et a rassemblé une vingtaine de chercheurs affiliés à des institutions de recherche de six pays : le Liban, la France, l'Allemagne, les Emirats Arabes Unis, les Etats-Unis et la Tunisie.

de la Francophonie, comporte donc des articles issus à la fois desdites deux rencontres et d'autres contributions qui ont rejoint le projet.

Mahmoud Guettat engage la réflexion par un texte qu'il offre aux auteurs et aux lecteurs sous le thème de l'interaction entre musique arabe et dialogue culturel.

La suite des articles s'articule en deux volets.

Un premier volet s'intéresse aux questions identitaires et structurelles relatives à la musique du Maghreb dans son aire géographique et dans la sphère plus large de son affiliation modale et ce dans le cadre des contextes musicaux, musicologiques, sociologiques et politiques de son évolution. Cinq articles s'inscrivent dans ce volet. Mohamed Gouja esquisse un panorama analytique de l'œuvre de Mahmoud Guettat en mettant en exergue les principaux thèmes de sa réflexion et les principaux résultats de ses recherches. Samir Becha retrace les cheminements de l'institutionnalisation de la musicologie en Tunisie par le biais de la création de l'Institut Supérieur de Musique de Tunis. Fériel Bouhadiba rend hommage à Mahmoud Guettat en faisant référence à la tunisianité, à la maghrébinité et à la méditerranéité, thèmes qui sont chers au dédicataire. Elle consacre un second article à une réflexion portant sur les entrelacs musicologiques entre rives euro-méditerranéennes dans l'espace francophone. Yassine Guettat, dans une double filiation dédie à Mahmoud Guettat un texte traitant des origines et mutations du *mālūf* tunisien. Lamia Bouhadiba interroge pour sa part les jeux d'influence mettant en rapport les artistes, les lois et les institutions tunisiennes dans le domaine musical.

Le second volet traite de l'impact de parcours individuels sur les cheminements musicologiques relatifs à l'aire maghrébine entre la deuxième moitié du XIXe siècle et la première moitié du XXe siècle. Trois articles s'inscrivent dans ce cadre avec les contributions de Nacim Khellal, Mohamed Saifallah Ben Abderrazak et Anas Ghrab qui se sont intéressés respectivement aux parcours de Francisco Salvador-Daniel et Jules Rouanet, dans le cadre des travaux relatifs à la musique kabyle, d'Antonin Laffage et de sa contribution à la musicologie francophone du Maghreb, et enfin de Rodolphe d'Erlanger et du rôle qu'il a joué dans l'activité musicologique en Tunisie.

Comme l'a exprimé Mahmoud Guettat dans l'intitulé de son article : la musique est un modèle de dialogue culturel. La grande famille des musiques monodiques modales l'a été par son histoire et le demeure non seulement dans sa pratique mais également dans les réflexions et les échanges académiques qu'elle suscite de par le monde. La musique dans ses diverses ramifications civilisationnelles et dans sa contribution à l'effort universel de réalisation du beau, est peut-être l'une des voies les plus sûres dans les cheminements menant vers la connaissance et la reconnaissance mutuelle des peuples dans leurs diversités culturelles. Ce numéro 12 de la *RTM* « Musicologie francophone du Maghreb. Mélanges offerts à Mahmoud Guettat » se place sur les sentiers de ce cheminement.

Nidaa Abou Mrad
Rédacteur en chef

Fériel Bouhadiba
Directrice du numéro 12

Biobibliographie de Mahmoud Guettat

1. Notice biographique

Mahmoud Guettat est professeur émérite à l'Université de Tunis et collabore avec d'autres institutions arabes et européennes. Il est également musicien-chercheur en musicologie et civilisation arabo-musulmane et membre actif du Conseil scientifique de l'Académie tunisienne des sciences, des lettres et des arts (Beyt al-Ḥikma).

Né le 28 mars 1945 à Djerba, Mahmoud Guettat a fait des études d'arabe et de musique d'abord à Tunis, puis à Paris. À la Sorbonne, il a obtenu une licence d'arabe en 1971, suivie d'une maîtrise d'arabe en 1972 (sujet : « La musique égyptienne de Muhammad 'Alī aux environs de 1960 »), de même qu'une licence de musique en 1972, suivie d'un certificat d'acoustique musicale en 1973. Ces études sont couronnées par un doctorat en musicologie à l'Université Paris - Sorbonne (Paris IV), dont la thèse « La musique andalouse et ses prolongements contemporains au Maghreb » fut dirigée par Tran Van Khé et Jacques Chailley et soutenue en 1977 (mention : Très Honorable, avec les félicitations du jury). En outre, il a reçu en 1996 son habilitation en musicologie à l'Université de Tunis.

Fondateur de l'Institut Supérieur de Musique de Tunis et initiateur de l'enseignement musicologique à l'Université tunisienne depuis 1982, il est président de la Commission de doctorat en sciences culturelles et de la Commission de doctorat en Musicologie. En 2017, un Prix international de musicologie, baptisé « Prix Mahmoud-Guettat », a été créé par le Ministère des Affaires culturelles. Il est discerné annuellement dans le but d'encourager les recherches en musicologie.

Il a assumé plusieurs responsabilités en relation avec la recherche en musique et musicologie au sein d'organismes, institutions et projets d'envergure nationale, arabe et internationale. Il a notamment été conseiller auprès du Ministre de l'Information du Sultanat d'Oman (2003-2008), membre du comité éditorial du projet « *Musique en Méditerranée/traditions modales et classiques* » (MediMuses/Union Européenne - Euromed Heritage : 2002-2005), secrétaire régional du Monde Arabe auprès du Conseil International de la Musique/CIM (Unesco : 2002-2010), vice-président du Bureau Exécutif du Congrès africain (Alger, 2013), coordonnateur associé, puis coordonnateur pour la région arabe du projet CIM/UNESCO « *la musique dans la vie de l'Homme, une histoire mondiale* » (MLM : 1984), membre permanent du Comité scientifique et rédacteur en chef de la revue *al-Baḥṯ al-mūsīqī* (Académie Arabe de musique/Ligue des Pays Arabes : 1981-2018) et membre du Conseil d'entreprise ainsi que du Conseil scientifique et artistique du Centre des musiques arabes et méditerranéennes/CMAM (2012-2018). Il a également reçu la Distinction culturelle de la Présidence de la République tunisienne en 1992, l'hommage du Festival et Congrès de la musique arabe, à l'Opéra du Caire en 2000, le Prix d'Honneur de l'Académie de musique arabe / Ligue Arabe (16e Session, Alger, 2001), et de nombreux hommages institutionnels tunisiens et arabes.

Ses initiatives pédagogiques ne sont pas dissociables de ses activités artistiques et de recherche orientées plus particulièrement vers la musique andalou-maghrébine, méditerranéenne, arabo–musulmane et orientale en général. À travers ses activités et son œuvre, il participe d'une part, à la réhabilitation du patrimoine musical, à la valorisation des musiciens traditionnels et, d'autre part, à faire mieux apprécier les richesses des musiques traditionnelles consolidant ainsi les liens entre les peuples et favorisant leur compréhension mutuelle.

Son œuvre musicologique rassemble une somme importante de publications, livres et articles scientifiques, rédigés en arabe et en français, dont certains sont traduits dans diverses langues européennes et asiatiques. Dans la présente liste bibliographique, l'œuvre arabophone (plus de cent quarante titres) n'est pas mentionnée.

2. Publications

(Liste bibliographique réservée aux écrits francophones avec quelques traductions)

2.1. Ouvrages

• *La musique classique du Maghreb*, Paris, Sindbad, 1980, 400 p.

• *La tradition musicale arabe*, Ministère Français de l'Éducation Nationale/Direction des Écoles – CNDP, Nancy, 1986, 132 p.

• *Le guide de l'Institut Supérieur de Musique*, Tunis, septembre 1994, 52 p. (trilingue).

• *La musique arabo-andalouse/L'Empreinte du Maghreb*, Paris/El-Ouns, Montréal-Québec/Les Fleurs Sociales, 2000, 564 p. (2e éd. Dār al-Āfāq – Alger, 2008).

• *Musiques du monde arabo-musulman/Guide bibliographique et discographique (approche analytique et critique)*, Paris, Dār al-Uns éd., 2004, 464 p. (2e éd. Dār al-Āfāq – Alger, 2008).

• *Musiques traditionnelles magrébo-andalouses, origines et particularités* (en cours de publication), 650 p. (+ ill).

2.2. Ouvrages traduits du français

• *La musica andalusi en El Magreb*, Simbiosis musical entre las dos orillas del mediterraneo, Sevilla-Fondacion El Monte, 1999, 182 p.

• *Traditional Omani Musical Instruments*, Oman Centre for Traditional Music/Ministry of Information, Muscat, 2004, XVII – 93 p. + DVD (Supervision and revision).

• *Kmayyis Tarnan* (*1894-1964*), Works of Great Mediterranean Composers (Medi Muses project – Euromed Heritage), En Chordais-Thessaloniki, Greece, 2005, 154 p.

2.3. *Articles et chapitres d'ouvrages collectifs*

I- Encyclopédies/Dictionnaires

- Art. « Musique de l'Islam » ; « al-Kindî » ; « Maqâm » ; « *Nûba* » ; « Ziryâb », in *Nouveau Grand Larousse Encyclopédique*, Paris, Larousse, 1982.
- Art. sur la musica: "Algeria"; "Araba"; "Egitto"; "Libia"; "Marocco"; "Tunisia", in *Dizonario Encyclopedico Universale Della Musica E Dei Musicisti*/UTET-Italie, 1983-84/vol. I (p. 61 – 64), I (p. 99 – 105), II (p. 104 – 116), II (p. 689 – 690), III (p. 56 – 60), IV (p. 624 – 627).
- « Musique [Islam] », *Grand Dictionnaire Encyclopédique Larousse*, Paris, Larousse, VI (1984), p. 5708-5709.
- *Unified Dictionary of Musical Terms* (Arabic – English – French) – Collectif – Tunis: Arab League Educational Cultural and Scientific Organization/Rabat: Bureau of Coordination of Arabization (Series of Unified Dictionaries – n°4), 1992, 68 + 28 p.
- « *Al-Rashîdiyya* » (al-Djam'iyya al-Rashîdiyya lil-mûsîqâ al-tûnusiyya/Association musicale tunisienne créée en novembre 1934), in *Encyclopédie de l'Islam*, vol. VIII, (n^lle^ éd.), Leyde, Paris, 1994, p. 463-464.
- "The Andalusian Musical Heritage", in *Garland Encyclopedia of World Music*, vol. 6: The Middle East, New York/Londres, 2001-2002, p. 441-454.

II- Ouvrages collectifs

- « Les éléments communs dans l'art musical du monde islamique » (*Actes du Symposium International de Musicologie: Tradition de la Culture musicale des peuples du Proche et du Moyen Orient et l'Actualité,* Samarkand/Uzbékistan: 7-14 octobre 1983), Moscou, 1987, p. 27-33 (Russian translation).
- « La musique sacrée dans le monde arabo-musulman », in *Musicae E Liturgia Nella Cultura Mediterranea*, Firenze, 1988, p. 157-166 ; (version condensée : a- « La musique sacrée en terre d'Islam » ; b- « Chants mystiques en Tunisie », in *Chants Sacrés de Méditerranée*, Écume, Marseille, 1993, p. 17-22 ; 56-57).
- « Réflexions sur les éléments communs dans l'art musical islamique », in *ISLAMIC ART :* Common Principles, Forms and themes, IRCICA-Istanbul/Dār al-Fikr-Damas, 1989, p. 145-150.
- « La Tunisie dans les documents du Premier Congrès de Musique Arabe », in *La musique arabe : le Congrès du Caire – 1932*, Le Caire, CEDEJ, 1992, p. 69-86.
- « Visages de la musique tunisienne », in *Tuniscope/Vivre en Tunisie*, Tunis, 1993, p. 132-137.
- a- « La musique sacrée en terre d'Islam » ; b- « Chants mystiques en Tunisie », *in Chants Sacrés de Méditerranée*, Écume, Marseille, 1993, p. 17-22 ; 60-62.
- « L'école musicale d'al-Andalus à travers l'œuvre de Ziryâb », in *GRANADAS 1492 (Histoire et représentation),* AMAM – Toulouse/France, 1993, p. 109-119.

- « Musique tunisienne/Traditions populaires », *Tunisie*, Guides Gallimard, Paris 1994, p. 69-84.

- « Impact de la musique grenadine sur la musique européenne au XVIe siècle : la face dissimulée d'une mutation », in *L'Écho de la prise de Grenade dans la culture européenne aux XVIe et XVIIe siècles* (Actes du Colloque de Tunis), Cérès édition Tunis, 1994, p. 347-355.

- « El Universo Musical de al-Andalus », in *Musica y Poesia Del Sur de al.Andalus/El Legado Andalusi*, Granada – Sevilla/Lunwerg ed., 1995, p. 17-31.

- « Coexistence de la Qaçîda, du Muwashshah et du Zajal dans la Nawba : l'exemple tunisien », *Le chant arabo-andalou* (N. Marouf), CEFRESS/L'Harmattan, Paris, 1995, p. 31-48 et p. 198-200.

- « La musique savante du Maghreb : tradition orale/tradition écrite », in *Le Maghreb ses richesses culturelles passées et à venir*, CFMI Rhônes-Alpes, Université Lumière - Lyon 2, novembre 1997, p. 45-56 ; 63-69.

- "Some Aspects of the Musical Heritage of the Island of Jerba", in *Oman Traditional Music and the Arab Heritage*, The Oman Center for Traditional Music (6), Muscat, 2002, p. 57-81.

- "The Musical Universe of al-Andalus", *Cultural Symbiosis in al-Andalus A Metaphor for Peace*, UNESCO Regional Bureau – Beirut/Lebanon, 2004, p. 295-318; 392-396.

- a – «El Patrimoni musical arabo musulmà» ; b – «La *nawba* : símbol de l'edifici andalusino magrebí », in *La Música àrab a la Mediterrània* – Institut Europeu de la Mediterrània (IEMed)/Universitayts de Catalunya, Barcelone (Espagne), 2005, p. 17-51.

- "History: The Arab world (Mashriq and Maghrib)", in *Music in the Mediterranean/Modal and Classical Tradition*, Medimuses project – Euromed Heritage, En Chordais-Thessaloniki, Greece, 2005, p. 13-18; 19-25; 56-68; 86-90; 126-128; 136-184; 216-222; 256-268; 315-320; 330-358; 376-394; 439-440; 465-476; 565-600.

- "Theory and Practice: The Arab World (Mashriq and Maghrib)", in *Music in the Mediterranean/Modal and Classical Tradition*, Medimuses project – Euromed Heritage, En Chordais-Thessaloniki, Greece, 2005, p. 9-14; 25-36; 165-208; 324-352; 454-463; 500-501; 505-520.

  [https://europa.eu/capacity4dev/file/10350/download?token=g..]

- "Tab' and Modality in Maghrebian Music", *Muqam in and outside of Xinjiang/China* (Proceedings of the 6th ICTM Study Group Meeting) Muqam Urumqi 2006, Chinese Uyghur Classical Literature and Muqam Institute – Urumqi, 2009, p. 150-164 (Chinese translation, in Collection of abstracts - Chinese Organizing Committee, Urumqi, 2006).

- « Place de l'Imzâd dans la diversité des vièles monocordes », *2e Rencontre Internationale d'Imzad « L'Imzad de la tradition à la modernité »* (Tamanrasset : 14-

16 janvier 2010), Association *Sauver l'Imzad* : *Recueil de Communications*, Alger, 2011, p. 97-109.

- "The Nûba in the Tunisian Mālūf: Morphological and Organological Approach", *of the 3rd International Symposium "Space of Mugham*" (ICTM) - Baku/Azerbaijan, 2013, p. 109-123.
- "Notation and Terminology in the Arab Musical Tradition", *in Proceedings of the IV International Musicological Symposium "Space of Mugham*" (ICTM), Baku/Azerbaijan, 2015, p. 116-130.
- "Double Reed Instruments in the Maghreb", *25the ICTM Colloquium: Double Reeds of the Silk Road: The Interaction of Theory and Practice from Antiquity to Contemporary Performance*, Shanghai/Chine, 29 novembre-1e décembre 2018, 10 p. (en cours de publication)

III- Revues/Quotidiens

- « Le renouveau dans la création musicale arabe », in *al-Moudjāhid*, Alger le 7, 8, 10, 11, 16, 20, et 22 août 1979, 21 p.
- « La musique, expression de l'identité nationale », in *Le temps*, Tunis le 16, 17, et 18 septembre 1980, 18 p.
- « La musique tunisienne », in *Bulletin du C.E.M.O*, n° 28-29, Paris, décembre 1982, 17 p.
- « Visages de la musique tunisienne », in *IBLA*, n° 150, Tunis, 1982, p. 227-240.
- « Musique et danse de Tunisie : reflets de la vie quotidienne », in *le Monde*, Paris le 3-4 juin 1984.
- « Tunisien – Klassische Instrumental und Vokalmusik », *Musik aus Nordafrika*/Internationales Institut Für Vergleichene Musikstudien, Berlin, 1986, 10 p.
- « Réflexions sur les éléments communs dans l'art musical islamique », in *ISLAMIC ART*: Common Principles, Forms and themes, IRCICA-Istanbul/Dār al-Fikr-Damas, 1989, p. 145-150.
- « Ziryab musicien et maître à vivre », in *Courrier de l'Unesco* (L'Universel est-il Européen ? n° double, juillet-août 1992), p. 74-76 ; (version condensée, in *Musicales / Spectacles*, Paris, IMA, janvier 1995).
- « Ziryab Master of Andalusian Music », *The Unesco Courier* (Universality: A European vision? double issue July/August, 1992), p. 74-76.
- *Rawāfid Mūsīqiyya* (*Confluents* : Revue musicale spécialisée) éd. Par l'Institut Supérieur de Musique, Tunis (création + direction de rédaction) 1er numéro paru, octobre 1994 (bilingue).
- a- « L'École musicale d'al-Andalus à travers l'œuvre de Ziryab » ; b- « Association musicale tunisienne », in *Musica Oral del Sur* (Revistra internacional del Centro de documentación musical de Andalucía), n° 1, Grenade, 1995, p. 204-213 ; 217-220.

- « Le *mâlûf* : répertoire des *nûbâ* classiques », in *Musicales* (*Spectacles*), Paris, IMA, n° 14, 2000, 8 p.
- « Les fondements de l'édifice musical maghrébo-andalou », in *Horizons Maghrébins*, n° 47, Toulouse, Univ. Du Mirail, 2002, p. 87-96.
- « La musique arabe », in *Résonance 32*, Paris, CIM/Unesco, 2002, p. 4-10 et 16.
- « El impacto musical morisco-andaluz », *Revista Scherzo*, Año XXV, n° 247, décembre 2009, p. 124-128.

IV- Commentaires CD/DVD

- « L'Édifice musical andalou-maghrébin à travers l'œuvre d'Ibn Bâjja », CD : *Nūba al-istihlāl* (Ensemble Ibn Bajja – dir. O. Metioui), Tanger-Madrid, 1995.
- « Histoire d'amour orientale », in *CD : le Luth de Bagdad* (Nassir Shamma), Paris, Institut du Monde Arabe, 1995.
- a- « Chants sacrés de Tunisie » ; b- « Les confréries tunisiennes », CD : *Sulāmiyya* (Ensemble Mahmoud 'Azīz), Paris, Institut du Monde Arabe, 1997.
- « L'Islam musical » ; « al- Shushtarî » ; « Les confréries marocaines », CD : *Los Sufies de al-Andalus as-Sustarî*, Mistico Granadino del Siglo XIII – El Arte del Samâ' de la Zâwiya Harrâqiyya (dir. O. Metioui), Madrid, 1997.
- « *Djerba la rebelle* », CD-ROM, Collection culture et archéologie (Éd. Promafrique multimedia), 2001.
- « L'environnement musical dans la Tunisie d'aujourd'hui », CD : *Solo 'ūd par Ahmed El Kalaï,* MediMuses projet, Enchordais – Musical Traditions of The Mediterranean (*Euromed Heritage*)/Thessaloniki, Greece , mars 2005.
- « Le maître de son époque : Shaykh Khmayyis Tarnân (1894-1964) », CD : *Ḵmayyis Tarnān/Ensemble Taḵt musical tunisien*, MediMuses projet, Enchordais - Musical Traditions of The Mediterranean (*Euromed Heritage*)/Thessaloniki – Greece, mars 2005.
- « Le *'ûd* et son évolution dans la musique iranienne », CD : *Prose and Poetry* (Sa'īd Nāyeb-Mohammadī), Mahoor Institute of Culture and Art, Teheran-Iran, 2007.

V – Articles non publiés

- « Caractéristiques de la musique arabo-andalouse », in *XXX*e *Congrès de la F.I.J.M*, Séville/Espagne, 5-12 juillet, 1981, 18 p.
- « Les éléments communs dans l'art musical du monde islamique », in *Symposium International de Musicologie : Tradition de la culture musicale des peuples du Proche Orient et l'actualité*, Samarkand/Uzbékistan, 7-14 octobre 1983, 14 p.
- « Richesses des musiques du Maghreb », in *Journées de Musiques Arabes*, Théâtre des Amandiers, Nanterre/France, 23 mars-8 avril 1984, 23 p.

- « Réflexions sur les éléments communs des traditions musicales du bassin méditerranéen », in *Rencontre trilatérale de musique* : Centre Culturel Européen de Delphes, Delphes/Grèce, 15-19 septembre 1985, 16 p.
- « La musique andalou-maghrébine », in *Centre de Documentation musicale d'Andalousie*, Grenade/Espagne, 4 août 1985, 12 p.
- « La musique arabe et les éléments caractéristiques du patrimoine musical méditerranéen », in *Rencontre de la Méditerranée* : *Modalita e forma della musica etnica*, Centre d'Iniziative Musicali (CIMS), Palerme/Sicile, 17-19 décembre 1986, 17 p.
- « Unité et diversité dans le système musical arabe : l'exemple maghrébin », in *Rencontre Internationale Musicologique : Rythmes, modes et échelles musicales de la Méditerranée*, Centre Européen de Delphes, Grèce, 27-30 octobre 1988, 15 p.
- « Visages de la musique méditerranéenne (observations préliminaires pour une approche comparative) », in *Symposium International sur la musique dans la région méditerranéenne*, Université de Valletta/Malte, 30 novembre-4 décembre 1989, 22 p.
- « La musique arabe et les rapports Orient-Occident (constat d'une situation) », in *Université Euro-Arabe Itinérante*, 4e session d'été, Crète (Grèce), 13-14 juillet 1990, 16 p.
- « L'Univers musical d'al-Andalus », in *Symposium : Symbiose Culturelle en Andalousie*, IPRA/UNESCO, Paris/France, 3-5 mai 1992, 14 p.
- « Le patrimoine musical arabo-andalou dans le temps et l'espace », in *Colloque International sur la musique arabo-andalouse*, ISM-Tunis/Univ. Paris VIII, 26-28 mai 1993, 16 p.
- « Diversité des instruments dans la tradition musicale méditerranéenne », in *Symposium International : Musical Tradition of the Mediterranean/Origins and Continuity*, Iraklion-Crète, 25-30 août 1993, 17 p.
- « La réalité musicale dans le monde arabe/Tradition et transformation », in *Les Séances de l'Institut du Monde Arabe*, IMA, Paris/France, 12 janvier 1994, 22 p.
- a- « Le patrimoine musical arabo-musulman » ; b- « La Nawba symbole de l'édifice musical andalou-maghrébin », in *Séminaire International d'Ethnomusicologie de la Méditerranée musulmane*, Université de Barcelone – Institut Catalan d'Études méditerranéennes/Institut Catalan d'Anthropologie, Barcelone/Espagne, 21-23 mars 1994, 13 + 16 p.
- « La musique arabe contemporaine du point de vue de ses rapports avec l'héritage », Unesco, Paris, 26 mai 1995, 18 p.
- « La musique classique du Maghreb : Tradition orale/Tradition écrite », *Rencontre le Maghreb, ses richesses culturelles passées et à venir*, CFMI Rhône-Alpes, Université Lumière – Lyon 2, 14-15 février 1997, 14 p.
- « L'ambiance musicale en al-Andalus », in *Table ronde : l'Espagne des trois cultures*, Fondation Don Juan de Borbon, Ségovia/Espagne, 29-31 mai-1e juin 1997, 11 p.

- « La notion de composition dans la musique de tradition orale », in *Rencontre : Autour de la Composition*, ÉCUME, Thessalonique/Grèce, 9-10 novembre 1997, 12 p.
- « L'Islam musical », in Colloque : *La musique sacrée et rituels à l'heure de la mondialisation*, AIMS, Fès/Maroc, 2-5 juin 1999, 16 p.
- « Organologie andalou-maghrébine », in Colloque : *L'instrumentarium arabo-andalou/Influences et confluences*, Royaumont-Cerimm, 30 juin-3 juillet 1999, 27 p.
- « Le sacré dans la musique arabe », in *Rencontre : L'évocation du sacré dans le monde méditerranéen* (*notion, expérience et représentation*), ÉCUME-Maison méditerranéenne des sciences de l'Homme, Aix-en-Provence, 9-11 décembre 1999, 11 p.
- « Caractères esthétiques de l'art vocal dans la musique traditionnelle du Grand Maghreb », *Colloque : La vocalité dans les pays d'Europe méridionale et dans le bassin méditerranéen*, RITM – Université Nice Sophia Antipolis, 2-3 mars 2000, 21 p.
- « L'oral et l'écrit dans l'enseignement de la musique arabe », *Colloque pour la fondation du Département de musique traditionnelle*, Arta – T.E.I d'Épire/Grèce, 14 mai 2000, 15 p.
- « La notion de création dans la musique modale », Séminaire : *L'Invention musicale dans le monde méditerranéen*, Marseille, 11-12 mai 2001, 12+14 p.
- « L'orientation scientifique dans les études et les recherches sur la musique arabe : réalité et perspectives », Rencontre/2e Festival des musiques, IMA, Paris, 19 juin 2001, 14 p.
- « Constat d'ensemble sur la réalité musicale du monde arabe », *Assemblée Générale et Symposium International du Conseil International de la musique* (CIM), Tokyo/Japon, 28 septembre-2 octobre 2001, 10 p.
- « Autour de la tradition musicale arabo-andalouse », *Café Littéraire* – IMA, Paris, 10 octobre 2001 ; *Les Jeudi de l'IMA*, Paris, 25 octobre 2001 ; Centre Culturel Algérien, Paris, 27 octobre 2001 (différentes approches).
- « L'Art musical arabo-andalou », *5e Salon de l'Édition Maghrébine d'Expression Française*, CIDIM – Marseille, 19-21 octobre 2001, 10 p.
- « Création et interprétation dans les musiques de tradition orale », *Rencontre autour de l'Invention musicale*, ÉCUME – Istanbul, 5-11 novembre 2001, 8 p.
- « Splendori della Música Andalusì », Associazione l'Armonia e l'Invenzione/Instituto Italiano per gli Studi Filosofici/Instituto Universitario Orientale, Napoli/Italie, 15 décembre 2001, 13 p.
- « Orientalistas y magrebies en la investigación musical andalusí-magrebí » ; « Balance del coloquio y perspectivas de la investigación », in *Colloquio : La música andalusí-magrebi, un Legado Común,* Instituto Cervantes, Tanger, 19 janvier 2002, 9 p.

- « À propos de la tradition musicale maghrébo-andalouse », Institut Français – Tanger –Tétouan/Maroc, 9 et 10 mai 2002, 15 p.
- « La facture du *'ûd* selon al-Kindi, Ikhwân al-Safâ et Ibn Tahhân », in *L'Organologie méditerranéenne : Savoir-faire traditionnel et innovations sur la lutherie,* C.E.F.R.E.S.S./Université de Picardie-Amiens, 24 mai 2002, 12 p.
- « Rythmique musicale et métrique poétique dans le chant arabo-andalou », *Rencontre ; L'amour, le vin et la musique dans la poésie arabo-andalouse,* Université de Paris III/Sorbonne nouvelle – UMA, 6 juin, 2002, 10 p.
- « L'évolution du *'ûd* dans la tradition musicale arabe : d'après les sources iconographiques et textuelles », *Symposium sur le 'ūd, Thessalonique*/Grèce, 29 novembre- 1er décembre 2002, 38 p.
- « La musique arabe dans les recherches musicologiques : constat d'une situation », *30e Assemblée Générale du Conseil International de la Musique* – CIM/UNESCO, Montevideo-Uruguay, 13-18 octobre 2003, 17 p.
- « Écrit et oral dans la transmission de la tradition musicale maghrébine », in *Músicas del Magreb,* Escuela de Superior de Música de Catalunya, Barcelona, 2005, 20 p.
- "State of Music in the Arab World", *World Forum on Music: Music and Society in the 21st Century, 31e Assemblée Générale du Conseil International de la Musique* – CIM/UNESCO, Los Angeles-USA, 1-5 octobre 2005, 14 p.
- « L'innovation dans l'œuvre musicale de Safiyyu al-Dîn », *Congrès International dédié à Safî-ed-Din Ormavi,* Académie des Arts de la République Islamique d'Iran, Téhéran, 2005, 13 p.
- « Symbiose musicale arabo-turque », *Congress International: Musical Culture in Turkey throughout History and the Museum of Music,* Istanbul-Turkie (The Harbiye Military Museum and the Cultural Center), 29-31 mars 2006, 32 p.
- « La musique arabe durant la période ottomane », *International symposium: Turkish music during the Ottoman period*/Topic: Interactions Between Ottoman Music and its Cultural Environments, Bursa-Turkey, 5-7 avril 2006, 28 p.
- « Tab' et modalité dans la musique maghrébine », *Sixth International Meeting of the ICTM Study Group maqâmat,* Urumqi, Xingiang/China, 25-30 septembre 2006, 16 p.
- « Symbiose musicale Afro-Maghrébine », *1st Pan African Cultural Congress,* Addis-Ababa/Éthiopie, 13-15 novembre 2006, 17 p.
- « Variété du luth arabe **à** frettes et cordes métalliques : l'exemple du Nash'at-Kâr et du Buzuq syro-libanais, le Mandole algérien », *IVe Journée de la Cetara,* Phonothèque du musée de la Corse : "*In giru à a Cetara corsa*", 21 juin 2007, 18 p.
- « FUNDUQ et pratique musicale », *Funduq, Héritage, recherche et création,* Université de Palerme – Faculté des Lettres, 23 février-2 mars 2008, 8 p.

- « Musiques et chants traditionnels entre le Maghreb et la Sicile islamique », *Colloque : Lieux et espaces de rencontres musicales autour de la Méditerranée*, Palais Ennejma Ezzahra/Sidi Bou Saïd, 7-8 avril 2008, 30 p.

- « 'Abd al-Qâdir Ibn Ghaybî al-Marâghî : Théoricien et musicien rénovateur », *Séminaire Abdolqader Maraghi*, Académie des Arts, Téhéran-Marâgha/Iran, 26-29 mai 2008, 15 p.

- « Symbiose musicale arabo-irano-turque : l'école de Shirâz », *Congrès international : École de Shiraz,* Académie des Arts – Iran, Téhéran-Shirâz, 8-12 décembre 2008, 14 p.

- « L'empreinte musicale des Morisques dans l'art musical occidental et oriental », in Congrès International : *IVe centenaire de l'expulsion des Morisques d'Espagne*, Grenade, 13-16 mai 2009.

- « Liens et interactions culturelles entre les deux rives de la Méditerranée », *Les actes des rencontres de recherche,* Palermo-Tunis, 2009, 20 p.

- « La Méditerranée carrefour des civilisations » ; « Le répertoire des *nûba* : l'apport maghrébin », Centre International des Musiques Traditionnelles/*Tarab* Tanger : *Festival des musiques traditionnelles du monde*, 1e éd. *"La Méditerranée, creuset des civilisations*", Tanger-Maroc, 17-21 juin 2009, 14 + 20 p.

- « Symbiose musicale Afro-Maghrébine (en vue d'une classification plus représentative des musiques afro-maghrébines) », *Festival International des Arts de l'Ahaggar, Tamanrasset - Tin Hinan/Abalessa*, 15-20 février 2010, 18 p.

- « La musique arabe modèle d'un dialogue entre les cultures », in *La musique comme instrument de dialogue entre les cultures : la contribution arabe – Journée de la Culture arabe/dans le cadre de 2010, Année internationale du rapprochement des cultures*, Plan ARABIA – UNESCO, Paris, 2 juin 2010, 10 p.

- « Perspectives de l'ethnomusicologie dans le Maghreb » ; « Quelles méthodes pour l'enseignement des répertoires musicaux dans le Maghreb », in Centre National de Recherches Préhistoriques, Anthropologiques et Historiques : *Rencontre autour des sciences du patrimoine immatériel - Journée d'étude*, Alger, 3 et 4 octobre 2010, 8 + 12 p.

- « Les vièles monocordes dans le monde arabe », *Journée d'étude : Le classement : outil de préservation et de valorisation du patrimoine culturel immatériel maghrébin*, INSFP – Ifri – Djanet, 18 décembre 2010, 18 p.

- « *Oralité - modalité traits distinctifs de la musique arabe (cinq illustrations : audio/audio-visuels)* », Séminaire de recherche – Ircam/Institut d'Esthétique des Arts et des Technologies UMR 8153 – Université de Paris 1 Panthéon-Sorbonne/CNRS, Paris, 2 avril 2011.

- « La musique classique maghrébo-andalouse : évolution historique et mutation morphologique », in *La poésie et la musique andalouse : l'école de Tlemcen / La nûba : empreintes passées et perspectives d'avenir*, Tlemcen, 13-15 juin 2011, 23 p.

- « L'impact musical des morisques : la face dissimulée d'une mutation », *Colloque International : Tlemcen terre d'accueil après la chute de l'Andalousie*, Tlemcen/Algérie, 25-27 octobre 2011.
- « Musique arabe face à la mondialisation », *Aspen Creative Art World Summit*, Royal House Muscat – Arts in Notion The Aspen Institute, Muscat/Sultanat d'Oman, 28-30 novembre 2011.
- "Arabo-Turkish musical symbiose", in 8th Meeting of the ICTM Study Group "*maqām*" - *Maqām*: Historical Traces and Present Practice in South European Music Traditions, Sarajevo, Bosnia and Hercegovina, 8-11 novembre 2012, 21 p.
- "The Nûba in the Tunisian Mālūf: Morphological and Organological Approach", in *International Symposium on Mugham*, Baku, 12-14 mars 2013.
- « Symbiose musicale afro-maghrébine (Authenticité et émergence) », in Symposium : *Les musiques africaines, vecteur d'authenticité et facteur d'émergence – Festival Panafricain de Musique* (FESPAM Scientifique), République du Congo Brazzaville, 13 au 20 juillet 2013.
- "Notation and Terminology in the Arab Musical Tradition", in *Symposium: IV- International Festival "Space of Mugham*", Baku, 11-18 mars 2015.
- « Le Mâlûf Tunisien : un élément spécifique de l'édifice musical maghrébin (Approche historique, descriptive et comparative) », Association "Mâlouf Tunisien"- Fondation de la Maison de Tunisie, Paris, 24 avril 2015.
- "Arabo-Turkish musical symbioses", *International AREL Symposium*, Istanbul University Turkiyat Researches Institute, Istanbul, 13-14 décembre 2017, 13 p.
- « L'évolution du *ûd* dans la tradition musicale arabe », in *Festival de musique arabe*, Berlin, 15-16 décembre 2017, 22 p.
- « La notation musicale : limite et avantage », in *La notation musicale à l'épreuve de la recherche : dans l'étude et la sauvegarde des musiques traditionnelles au Maghreb - Colloque Anthropologie et musique* – CNRPAH (6e édition), Boussaâda-Algérie, 29-31 janvier 2018, 17 p.
- « Le '*ûd* instrument des sages réunissant la subtilité de la science et le secret de l'art », *Ateliers d'ethnomusicologie*, Genève, 5 mai 2018, 30 p.
- "Two Key Concepts of the Maghrebian Maqamic System (The ''Nûba'' and the ''Tab''')", in *Music art of maqom, its role in the world civilization-1st MAQOM ART INTERNATIONAL FORUM,* Shakhrisabz, 6-10 septembre 2018, 15 p.
- « Le chant selon la *nawba* : origine et développement », *Conférence - Association Malouf Tunisien – Fondation de la Maison de Tunisie*/Cité Internationale Universitaire, Paris, 26 octobre 2018, 30 p.

La musique arabe modèle d'un dialogue entre les cultures

Mahmoud GUETTAT*

D'abord langage magique de l'homme, la musique fut science, avec les mathématiques et l'astronomie, puis, se mêlant au monde profane, elle devint un art, un divertissement aussi, ce qui lui apporta un considérable enrichissement. Chargée de symboles, la musique puise son existence dans l'aventure de l'humanité, dans un besoin fondamental de communiquer, de s'exprimer, un besoin intense et profond d'atteindre un état second.

> *« Si la musique – écrivait al-Lāḏiqī au XVe siècle – arrive par moments à nous détacher de toute préoccupation terrestre, matérielle comme temporelle », elle offre « une plus grande liberté à l'âme pour se détacher de l'obscurité du corps ».*[1]

La musique est donc perçue comme un langage supérieur ; non celui de la raison et de la vie quotidienne, mais aussi celui des grandes forces mystérieuses qui animent l'homme. Rien de plus nécessaire que la musique qui est plus que luxe ou plaisir, une voix profonde de l'humanité ; elle constitue un terrain de prédilection pour l'affirmation de l'universalité.

L'art musical arabe en fournit à travers sa longue histoire, et encore aujourd'hui, une éclatante démonstration. Une grande Tradition musicale, symbole d'une profonde symbiose, s'est imposée, au fil des siècles, comme une véritable langue de communication et de dialogue entre les différentes composantes de l'empire (polymorphe) arabo-musulman et même au-delà…

---

* Professeur émérite à l'Université de Tunis, fondateur de l'Institut Supérieur de Musique de Tunis. mahmoud_guettat@yahoo.fr.

[1] Al-Lāḏiqī, *Al-Risāla al-Fatḥiyya fil-mūsīqā* (Epître de la Victoire concernant la musique), éd. commentée par Hāšim al-Rajab, 1986, Le Koweit (al-Silsila al-turāṯiyya, 16), Introduction, chap. 1 & 2.

1. L'héritage musical arabe : un exemple de dialogue riche et diversifié

Historiquement, on ne peut pénétrer l'univers musical du monde arabe, sans se placer dans le contexte propre à la civilisation arabo-musulmane. Celle-ci, tout en ayant son berceau en Arabie, et se référant à son substrat linguistique et ses formes constitutives, représente un véritable espace de rencontre, de convergence et de métissage entre des civilisations et des cultures plusieurs fois séculaires : assyro-babylonienne, égyptienne, cananéo-araméenne, grecque, persane, indienne, byzantine et arménienne, à l'Est, libyco-imazighine et romaine, à l'Ouest.

Par-delà toute confusion conceptuelle entre les termes « arabe » et « islam », loin de toute restriction ethnique, religieuse ou géographique, l'aire musicale dite arabo-musulmane recouvre un patrimoine considérable, qui s'inscrit dans un large courant universel, à l'image de l'immense empire qui s'est forgé, tel un gigantesque trait, d'union entre l'Espagne et les Indes. L'Asie occidentale méditerranéenne et iranienne – où les premières civilisations de l'Antiquité ont fleuri, et qui a été le berceau des premières religions monothéistes, le Judaïsme, le Zoroastrisme et le Christianisme, devint la terre de prédilection d'un Islam ouvert et fécond et le sol fertile de la civilisation classique qu'il a instaurée. Celle-ci, véhiculant sa langue et sa culture d'origine, métissée avec les cultures des contrées conquises, s'est répandue sur un vaste territoire embrassant l'Arabie, le Croissant fertile, la Perse, l'Asie mineure (l'actuelle Turquie), l'Asie centrale, l'Afghanistan, l'Indonésie, une partie de l'Afrique, de l'Inde et de la Chine et, pour un temps, l'Espagne, la Sicile, le sud de l'Italie et plusieurs territoires d'Europe de l'Est. Une grande œuvre transnationale et transculturelle, dans laquelle il n'est pas important de savoir – du moins jusqu'au XVIe siècle – si telle ou telle personnalité comme al-Fārābī ou Ibn Sīnā, entre autres, est arabe, turque ou persane, mais de comprendre que tous trouvent leur moyen d'expression et de communication dans la langue arabe.

Religion abrahamique, devenue la référence d'une civilisation, l'Islam imprégnera fortement les deux parties autrefois séparées de l'Orient méditerranéen et indo-européen, tout en cohabitant avec le Christianisme, dans ses diverses déclinaisons orientales. Et, très au-delà de son aire de domination, son influence atteindra l'Asie orientale et s'étendra vers l'Occident jusqu'en Europe orientale et méridionale (où il cohabitera avec le Christianisme et le Judaïsme). Tandis que l'arabe, adopté comme langue commune — maintenue toujours comme telle, notamment, en vertu de sa fonction rituelle et de son statut de vecteur de la révélation coranique — devient un dénominateur commun aux peuples, comme à leurs expressions culturelles, du golfe Arabo-Persique à l'Atlantique, de l'océan Indien au Caucase et en Asie centrale.

La civilisation arabe, dans la multiplicité de ses expressions orientales et occidentales, repose sur ces deux principes unificateurs autour desquels une variété impressionnante de peuples d'origine et de traditions diverses se sont intégrés dans une véritable symbiose spirituelle et culturelle (l'expérience andalouse représente à cet égard, un modèle édifiant de convivialité). Ce sont eux qui allaient marquer en profondeur l'évolution de toute l'activité scientifique, culturelle et artistique de cette civilisation. Ainsi, il s'est codifié au cours des siècles un tronc commun multinational, un langage de dialogue et d'échange, qu'on a souvent tendance à réduire à la simple confluence arabo-irano-turque, mais dont la constitution est en réalité, beaucoup plus vaste et plus complexe.

Dans l'art musical, cette unité de fond se révèle à travers l'expression musicale, la référence aux grands théoriciens, la systématisation de l'échelle musicale, des formes et structures modales et rythmiques ; encore plus prononcée, dans le domaine de l'organologie où les principaux instruments se retrouvent sous des aspects assez peu modifiés dans l'ensemble de l'aire arabo-islamique et même au-delà, partout où l'Islam fut présent de façon permanente ou provisoire.

Néanmoins, cette double facette « unité – diversité », révèle deux points essentiels :

- une « **entité supranationale** » cristallisée dans le temps et l'espace, grâce à la fusion de formes diverses en un style commun qui a marqué l'avènement de ladite grande Tradition musicale. Ses caractéristiques générales sont véhiculées par les répertoires classiques dont il constitue une éclatante démonstration.

- des « **spécificités locales** » déterminées par les conditions géopolitiques, la situation ethnique, culturelle et sociale, variée et diversifiée ou par la diversité religieuse ; elles se révèlent à travers les musiques rituelles locales (de l'Islam et des autres religions) et la musique populaire nourrie continuellement par une imagination fertile, sensible à tout événement nouveau. Servant de substratum sur lequel se sont édifiés les fondements d'un « système musical de référence », elles ont constamment continué à l'alimenter et à l'enrichir tout au long de son développement historique et de son extension géographique ; mais elles ont également subi l'impact plus ou moins profond de ce système, selon leur degré d'islamisation et/ou d'arabisation.

Témoin d'un passé musical riche et fructueux, ce patrimoine conserve encore de nos jours – malgré ses multiples nuances – une réelle cohérence technique et artistique. Celle-ci, se dégage à la première écoute comparative, avec toutefois une originalité spécifique qui transparaît à travers une riche mosaïque de répertoires, de genres et de styles, dont les structures internes, aussi bien spatiales que temporelles, obéissent à une série de lois consacrées à la fois par la tradition, le goût et les inflexions dialectales et phonétiques propres au génie de chaque groupe social.

Les traits distinctifs se signalent dans la musique elle-même, sa construction, son organisation mélodique et rythmique, les instruments de musique, les techniques et les modalités d'exécution vocales et instrumentales, la sociologie de la musique ainsi que l'esthétique propre à son interprétation et à son écoute.

Ladite grande Tradition musicale – raffinée et savamment structurée, fruit d'une société urbaine au sein de laquelle elle n'a cessé de se développer et de s'épanouir – se traduit par d'importantes séances musicales. L'origine de celles-ci remonte à l'ancienne *nūba* (cultivée à Bagdad à partir du IXe siècle), elles se sont développées par la suite dans les différents centres culturels, soit en préservant la même appellation, comme au Maghreb (excepté l'*Azawān* mauritanien), soit en changeant de nom, notamment dans les pays du *Mashriq* arabes, à savoir : la *waṣla* syro-égyptienne, le *maqām* iraqien, le *ṣawt* des pays du Golfe, la *qawma* yéménite.

Citons également en d'autres terres d'Islam : le *fāṣil* turc, le *dastgāh* iranien, le *šāš maqām* uzbek et tadjik, le *mugām* azerbaïdjanais, le *rāga* du Pakistan et de l'Inde du Nord, le *onikki muqām* des Uygurs (Turkestan chinois ; vallée de l'Ili et Alma-Ata, Kazakhstan). Il s'agit d'une forme composée comportant une série de pièces vocales et instrumentales construites sur un mode (*maqām*, *ṭab'*, *baḥr*...) principal, dont elle tire le nom, et se déroule sur des rythmes et des mouvements variés. Son exécution, fréquemment enrichie par des improvisations et des morceaux empruntés au répertoire populaire citadin local, peut durer plus de deux heures, selon l'importance du répertoire, la compétence des musiciens et aussi, la réaction du public. Selon chaque pays, ces « macro-formes » mettent en honneur les genres traditionnels, vocaux et instrumentaux.

2. Le revers d'une renaissance : renouveau à succès et modernisme douteux (monologue musical standardisé et imposé)

À partir du XIXe siècle, date des premiers signes précurseurs de la *Nahḍa*, un renouveau musical s'est instauré. Grâce à un échange fructueux entre les différentes traditions musicales arabes, entre celles-ci et d'autres traditions monodiques modales, turque et iranienne notamment, le langage musical s'enrichit par l'apport de nouveaux modes et rythmes, le perfectionnement des anciennes formes vocales et instrumentales, ou encore par des créations nouvelles. Mais l'impact de plus en plus profond du modèle harmonique tonal occidental, réconforté par plusieurs facteurs d'ordres politique, socioéconomique et médiatique, a conduit à l'imitation servile du système tonal européen et à l'emploi démesuré de ses éléments, de ses règles et de ses méthodes incompatibles, pour la plupart, avec les fondements de ladite grande Tradition *maqamique* arabe : instruments de musique à sons fixes, échelle de tempérament égal, techniques d'harmonisation, d'arrangement, d'orchestration, voire de composition et d'exécution, fixation par le biais de la notation musicale, programmes et méthodes d'enseignement inadaptés aux spécificités des traditions monodiques modales, formation d'orchestres énormes... Tout était devenu permis, afin de pouvoir s'engager dans l'aventure d'un « modernisme » tous azimuts, qui donna lieu entre autres à l'expansion spectaculaire d'une « chansonnette sentimentale » standardisée, individuelle et légère, parfois vulgaire. Subjuguée par la variété occidentale, cette nouvelle musique hybride, commerciale et d'un niveau très discutable, ne respecte aucun cadre normatif. Ainsi, l'échange et le don créateur cèdent la place au complexe d'infériorité, au collage, à la paraphrase, voire au plagiat, et la production musicale sombre dans le goût de la facilité, du vedettariat et de la rentabilité à tout prix. Nous ne jugeons pas utile d'insister ici sur les « symphonie » et autres « concertos » et « suites » à « l'Orientale », produits par une tendance qui a gardé toutes les servitudes mentales de l'époque coloniale.

3. Une ère nouvelle : pour la réhabilitation d'un véritable dialogue musical

Malgré cet imbroglio déconcertant, les efforts louables d'un réel renouveau du dialogue continuent à s'imposer sur la scène musicale, limitée certes, mais convaincue qu'il faut aller au-devant des événements et non pas attendre passivement les effets d'une globalisation aliénante qui risque d'être fatale. Il est évident que nous vivons une ère d'éclectisme marquée par la découverte accrue des musiques du monde entier, mais aussi alourdie par l'impact de plus en plus contraignant des multinationales, des moyens de diffusion, d'industrialisation et de commercialisation… Et s'il est aisé de constater que dans le contexte actuel, les musiques arabes connaissent une réelle explosion (concerts publics, disques, publications, etc.), il y a lieu de s'interroger sur leur avenir, plus particulièrement sur celui des musiques traditionnelles et par conséquent, sur la survie de la diversité musicale en général.

En effet, face aux différents mécanismes de mondialisation et de globalisation de plus en plus contraignants, imposés par un modèle musical commercial occidental prédominant, doté d'une technologie globale et d'un marché multiplicateur, n'obéissant qu'à son propre intérêt mercantile, au détriment de toutes les valeurs de la dignité humaine, la compétition ne peut pas être loyale et par conséquent, les perspectives sont loin d'être rassurantes, et ceci, malgré la mise en place de certaines stratégies alternatives nationales et internationales. S'il y a un miracle, il s'imposera par la musique elle-même, par l'attachement profond des hommes à leurs spécificités musicales, par la ferme conviction qu'un véritable dialogue dans ce sens est fondamental quant à la préservation, la consolidation et l'enrichissement de la diversité culturelle, seul garant pour la survie de la créativité humaine, c'est-à-dire de notre dignité, de notre raison d'être…

Le rythme vertigineux de la mondialisation et de la révolution de l'information crée néanmoins des possibilités sans précédent de rencontres entre les cultures et les individus… Et si nous voulons qu'elle contribue à la valorisation, et non à l'asphyxie de la diversité créatrice de nos civilisations, au rapprochement, à l'échange et à la compréhension, et non aux préjugés et à la haine, elle doit impérativement se développer sur la base d'un vrai dialogue, le dialogue, encore et toujours sur un pied d'égalité, certes, mais le dialogue dans tous les cas. Et il va sans dire que le meilleur et le plus efficace des dialogues sont ceux que peut offrir la musique à travers toute sa diversité !

Musicologie francophone, arabe et maghrébine : l'œuvre de Mahmoud Guettat, approches émiques des traditions musicales

Mohamed Gouja*

Préambule

Le professeur Mahmoud Guettat représente indéniablement une des figures les plus illustres de la Tunisie et du monde arabe, en matière de musicologie. Son œuvre musicologique générale qui rassemble dix livres et deux cents articles scientifiques publiés, dont plus de 90 rédigés essentiellement en langue française, constitue par sa diversité et sa richesse, une référence scientifique incontournable pour tous les chercheurs en musicologie, en histoire de la musique et de la civilisation du monde arabo-musulman, en anthropologie, en sociologie de la musique et en bien d'autres domaines de la pensée et de l'investigation musicologiques. Le volet francophone de cette œuvre y représente un élément fondamental et décisif, car c'est à partir de la thèse de doctorat « *La musique andalouse et ses prolongements contemporains au Maghreb* », rédigée en langue française, qu'un riche parcours d'écriture musicologique francophone prit son chemin, par des publications successives de livres et d'articles scientifiques, en plus de la riche œuvre arabophone réalisée, mais également et en moindre proportion, de celle traduite dans diverses langues européennes et asiatiques.

Les travaux musicologiques francophones de Mahmoud Guettat invitent à réfléchir sur la place qu'ils occupent dans la réflexion générale qu'il a développée, par rapport à son œuvre arabophone, par les thèmes étudiés, par les questions soulevées, voire par les positions adoptées et les conclusions entreprises.

La place de cette œuvre dans la grande entreprise musicologique moderne, arabo-musulmane, imazighen, afro-méditerranéenne et universelle, mérite également une attention particulière, de par les apports par lesquels Mahmoud Guettat a pu établir

* Professeur à l'Université de Gabès, Institut des Arts et Métiers de Gabès, Tunisie. moh.chaf.gouja@hotmail.fr.

une lecture critique de l'histoire de la musique arabe, dans son rapport à toutes les civilisations qui ont partagé les éléments fondamentaux d'une pensée musicale à vocation universelle mais également à toutes les musiques dont la parenté avec la civilisation musicale arabe semble occultée, et à travers elles tant de vérités historiques attendent d'être rétablies.

Musicologie arabe, musicologie maghrébine et maghrébinité musicale, musicologie générale et universelle, pensée musicale, histoire de la musique arabo-musulmane, études patrimoniales, études musicologiques comparées, approches analytiques des systèmes musicaux, identités musicales, philologie musicale, anthropologie de la musique, tant d'approches qui contribuent à la définition de l'œuvre de Mahmoud Guettat.

Nous mettrons en exergue les concepts et idées clés de la pensée de Mahmoud Guettat à travers un choix de citations représentatives.

4. Concepts et idées clés

Nous regroupons ces concepts et idées clés autour de sept thématiques principales :

4.1. Civilisation arabo-musulmane pensée universaliste

> *« La tradition musicale arabo-musulmane, dès les origines, s'inscrit dans le courant de pensée universelle de l'époque, à l'image de l'empire forgé, dans le cadre de cette civilisation, tel un gigantesque trait d'union entre l'Espagne et les Indes » (Guettat, 2004, Introduction).*

> *« Un tronc commun s'est forgé au cours des siècles, qu'on a souvent tendance à réduire à la simple confluence arabo-irano-turque, mais dont la constitution est en réalité, beaucoup plus vaste et plus complexe » (Guettat, 2000, Introduction).*

> *« Musicalement, cette diversité révèle deux traits essentiels [...] unité supranationale [...] spécificités locales. » (Guettat, 2000, p. 11)*

4.2. Civilisation d'une pensée « transnationale », « supra-régionale », supra-linguistique, supra-confessionnelle

> *« Peu importe de savoir, dans cette grande œuvre transnationale, si al-Fārābī ou Ibn Sīnā, Ibn Rušd ou Maïmonide sont Arabes, Turcs, Persans, musulmans, chrétiens, juifs ou autres, mais il s'agit de comprendre que ces hommes ont trouvé un moyen d'expression universelle, grâce à une spiritualité supra-régionale, l'Islam, et à un matériau linguistique de base, l'arabe » (Guettat, 2004, p. 18).*

> *« Nombreux furent les chrétiens et les juifs, ou d'autres confessions, voire même des athées, qui ont contribué à l'épanouissement de cette civilisation » (Guettat, 2010).*

4.3. *Orient et Occident piliers unificateurs*

« La civilisation arabo-musulmane de l'Orient à l'Occident repose sur ces deux piliers unificateurs autour desquels une variété impressionnante de peuples, aux origines et aux traditions diverses, se sont intégrés dans une symbiose spirituelle et culturelle nouvelle. » (Guettat, 2010)

4.4. *Civilisation à production scientifique et artistique abondante et multinationale*

« Ces penseurs vont durablement marquer l'évolution de l'activité scientifique et artistique de cette civilisation avec – pour l'art musical – plus de 650 titres, dont 360 parvenus, représentés par plus de 1265 manuscrits » (Guettat, 2004, p. 18).

« Ainsi a été codifiée une Grande Tradition Musicale dont l'importance et l'impact longtemps dépréciés, reste encore à découvrir ». En effet, « une série d'affirmations aussi arbitraires qu'erronées continuent à circuler, même dans les cercles d'historiens, de musicologues et d'anthropologues, comme des données indiscutables » (Guettat, 2004, p. 18).

4.5. *Nécessité d'élaborer un guide pour faire émerger toute une mémoire culturelle oubliée*

« En mettant en exergue les œuvres les plus représentatives de la tradition musicale arabe, nous avons souhaité par ce Guide, offrir au lectorat francophone un accès unique aux écrits de langue arabe, publiés ou encore en l'état de manuscrit, non traduit en langue française [...]*et également ceux rédigés dans les principales langues internationales, ainsi qu'une discographie sélective* [...] *en vue de faciliter la recherche multisectorielle en matière d'études historiques, théoriques et techniques sur les musiques du monde arabo-musulman* [...]. *Nous espérons donc que ce guide permette de réfuter les idées non fondées qui circulent autour de cette tradition musicale » (Guettat, 2012).*

4.6. *Symbiose spirituelle et culturelle nouvelle*

Une symbiose spirituelle et culturelle nouvelle apparaît à travers un riche patrimoine que Mahmoud Guettat décrit et considère dans une globalité possédant plusieurs facettes et décrivant une grande adhérence conceptuelle, esthétique et procédurale.

4.7. *L'enseignement, la connaissance, la recherche scientifique*

Les activités de Mahmoud Guettat, artistiques et de recherche, orientées plus particulièrement vers la musique andalou-maghrébine, méditerranéenne, arabo-musulmane et orientale en général, ne sont pas dissociables de son œuvre pédagogique :

« C'est par l'enseignement que tout s'acquiert. Il faut reconstituer ce travail de manière saine, et sur tous les plans, musicalement, culturellement et historiquement » (Guettat, 1992).

Dans le riche rapport de synthèse très instructif qu'il a rédigé, sous l'intitulé *Parcours et exploits* (Guettat, 2016), Mahmoud Guettat a tracé le cheminement de son œuvre musicale et musicologique à travers les différents volets qu'elle a comportés, d'après un découpage chronologique et thématique. Ce fut en effet à partir de 1972, par la rédaction d'un mémoire de maîtrise, et surtout à partir de 1977, par l'élaboration de la thèse de doctorat, que le long processus de la recherche sur la musique arabe prit son chemin. Plusieurs questionnements scientifiques conditionnaient cette démarche : comment définir la musique arabe, dans son cadre arabo-musulman si étendu géographiquement, aux cultures si variées et aux expressions artistiques et linguistiques en apparence si distinctes et aux contextes civilisationnels spécifiques ? Quelle est la place de cette musique à l'échelle des traditions musicales du monde ? Quelle méthodologie adopter pour parvenir à répondre à ces questionnements ?

En réponse à ces questionnements, plusieurs approches ont été adoptées par Mahmoud Guettat.

5. Approches

5.1. Approche historique de la musique

Recherches sur les origines et sur les différentes évolutions, à travers les sources écrites imprimées et manuscrites, recherches sur la musique arabe antéislamique.

5.2. Approche systémique

Échelles, intervalles, rythmes etc..

5.3. Approche philologique musicale

Aspects techniques, artistiques et physiques, les systèmes musicaux, l'étude des échelles, les *maqāmāt* et *ṭubū'*, les rythmes, les répertoires et les différentes formes d'expression musicale.

5.4. Approche traitant des dimensions didactiques de la musique

Rôle de la musique dans la formation d'une personnalité équilibrée et dans le développement des capacités créatives, spécificités de la musique arabe ainsi que son aptitude à s'ouvrir sur les musiques du monde.

5.5. Approche organologique

Études comparées et analytiques des instruments de musique, classification, manufactures, techniques de jeu, dimensions sociologique et culturelle etc..

5.6. Approche esthétique de la musique

Dimensions psychologiques, spirituelles, expressives des techniques du chant et du jeu instrumental, ornementations, notions d'esthétique musicale.

5.7. Approche anthropologique, sociologique et culturelle de la musique

Les constantes et les mutations sociales et législatives, l'acculturation, les influences idéologiques, politiques, économiques et communicationnelles.

Etc.

Les travaux de Mahmoud Guettat sont donc d'un intérêt particulier pour les différentes représentations du phénomène musical, en particulier oriental et arabe, dans sa diversité et sa complexité. Cet intérêt a généré un nombre important de recherches, d'études, de livres et de synthèses, qui en caractérisent les fondements.

6. Axes de recherche

Les principaux axes suivis dans les recherches de Mahmoud Guettat sont essentiellement :

6.1. Le patrimoine musical arabe et maghrébo-andalou :

Axe développé dans le cadre de la thèse de doctorat « *La musique andalouse et ses prolongements contemporains au Maghreb* », Sorbonne, Paris IV, 1977, sous la direction de Jacques Chailley et Trần Văn Khê.

La thèse de Doctorat a engendré une série de recherches publiées, dont les principaux ouvrages suivants :

6.1.1. *La musique classique du Maghreb*, 1980, Paris, Sindbad, 400 p. :

L'ouvrage rassemble plus de 100 illustrations musicales et photographiques, un lexique des termes techniques, une bibliographie de 448 titres, ainsi qu'un guide discographique musical tunisien, algérien, marocain et libyen, rassemblant 187 titres. Des titres référant à la musique andalouse et européenne depuis le Moyen- âge jusqu'à la Renaissance y sont également mentionnés.

6.1.2. La musique arabo-andalouse : l'empreinte du Maghreb, 2000, Paris, El Ouns / Montréal, Fleurs sociales, 560 p. :

L'ouvrage trace une continuité avec le livre antécédent, par des ajouts épistémologiques, conceptuels et méthodologiques. Une analyse élargie et en profondeur des sources de la musique arabe et de ses prolongements en Orient et en Occident arabes, en plus de ses interactions avec les musiques du monde oriental, essentiellement persan, turc et indien, et celles de l'Europe. L'approche insiste sur l'analyse approfondie des éléments théoriques et empiriques des répertoires actuels.

6.1.3. Musiques du monde arabo-musulman : Guide bibliographique et discographique (Approche analytique et critique) », 2004, Paris, El Ouns, 464 p. :

Unique en son genre, ce livre entreprend de « *mettre en exergue les œuvres les plus représentatives de la tradition musicale arabe* » (p. 17 du livre) et « *offrir au lectorat francophone un accès unique aux écrits de langue arabe, publiés ou encore en l'état manuscrit, non traduits en langue française* » (*ibid.*). L'ouvrage comporte également une bibliographie en langues française, anglaise, espagnole, allemande et portugaise. 2700 documents, dont 2000 manuscrits ou imprimés et 700 disques, sont présentés à travers une analyse critique facilitant l'accès et l'usage.

Ces deux derniers ouvrages présentent un apport essentiel quant à la lecture du patrimoine musical arabe oriental et occidental, par la mise en valeur des spécificités et des richesses qu'il embrasse, ainsi que par la réfutation des thèses que Mahmoud Guettat qualifie à juste titre d'« idéologiques » (*ibid.* p. 51-54), car réduisant le rôle des Arabes à la transmission du savoir et occultant leurs contributions à l'édification des sciences musicales et de la civilisation universelle.

La place centrale des sciences et des arts musicaux maghrébins, en Libye, en Tunisie, en Algérie, au Maroc et en Mauritanie, dans l'édifice général de la civilisation musicale arabo-musulmane, constitue un des points forts de l'œuvre de Mahmoud Guettat[1].

6.2. Questions théoriques et systémiques

L'échelle musicale, la *maqāmiyya* (modalité), la théorie du rythme, musique et poésie, les formes instrumentales et vocales, les chants de la Nouba, l'éducation musicale, musique arabe et nouvelles technologies, musique arabe et recherche scientifique, informatique et mondialisation.

6.3. Les instruments de musique

Les instruments mélodiques (*'ūd, rebāb, nāy, buzuq, sāz kār, imzād*), les instruments percussifs, les ensembles traditionnel, *al-jawq*, *al-taḫt* etc..

6.4. Corpus, documentation et méthodologies de recherches

Études sur les manuscrits, travail de terrain, projet d'une carte musicale de la Tunisie, du Maghreb, du monde arabe et des pays musulmans, guide bibliographique et des enregistrements musicaux.

6.5. Musique et Islam

Al-Ghazālī et la question du *Samā'*, les répertoires musicaux soufis de la civilisation musulmane, la *Tarīqa Sulāmiyya, Šištrī*, Ibn 'Arabī, Šuštarī.

6.6. Approches analytiques comparées

Musiques méditerranéennes, les patrimoines musicaux arabo-musulmans, musiques modales et musiques tonales, concepts d'identité musicale, défis de la modernité et

[1] Cf. en plus des ouvrages cités : Guettat, 1986, 1999, 2003a.

impact sur l'identité, les acculturations entre la musique arabe et les cultures musicales voisines (africaines, méditerranéennes, européennes et asiatiques).

6.7. La musique arabe entre orientalisme et occidentalisation

7. Conclusions par thèmes

Nous avons sélectionné les conclusions les plus pertinentes :

7.1. Genres, formes et répertoires du patrimoine musical arabo-musulman

7.1.1. La nawba : modèle d'interaction entre les traditions musicales arabes, musulmanes et méditerranéennes

Mahmoud Guettat a étudié les formes vocales et instrumentales des répertoires du patrimoine musical arabo-musulman. Se référant aux principales sources sur le sujet, notamment : Širwānī (m. 1475), Jurjānī (m. 1413), Abdelkader Ibn Ġaybī (1354-1435) et remontant jusqu'au IXᵉ siècle au moins, il cite 15 formes instrumentales et vocales, al-*nawba* y étant présentée comme la plus accomplie et la plus complète de ces formes. Bien que se reproduisant d'une génération à une autre, tout en conservant les principes structuraux, conceptuels et opérationnels, ces formes se renouvelaient, s'enrichissaient par les ajouts que chaque période pouvait inspirer et produire. Le richissime arsenal des formes classiques n'a cessé de s'enrichir par de nouvelles créations à travers les différentes périodes et dans les différents espaces de la civilisation arabo-musulmane (*našīd, istihlāl, misrā', mbāyit, muzdawaj, mushim, ma'kūs, basīt, ṭarīqa ou bišrū, tašyī'a ou bazkišt, ṣawt, miyāt ḵāna, kul al-ẓurūb, kul al-naġam*).

Le plus important dans cette approche a été de démontrer qu'en plus de la grande richesse des formes vocales et instrumentales qu'elle a produite, la pensée musicale engendrée par les différents recoupements culturels, artistiques et philosophiques entre les différentes populations et cultures constituant cette civilisation, a continuellement été une source de création et de production d'une infinité de formules d'expressions musicales.

La *nawba*, par le vaste champ qu'elle couvre, constitue un des exemples les plus visibles, illustrant la capacité de la pensée musicale arabo-musulmane à générer cette diversité de structures et de formes musicales, par les apports persans, mongoles et turcs en Orient, et maghrébo-andalous, au Maghreb. Mahmoud Guettat les classe selon un découpage qui réfère à trois catégories : la *Nawba* populaire à substrat religieux, la *nawba* militaire et enfin la *nawba* « savante ». Il évoque régulièrement la présence d'une diversité de *nawba* et de répertoires qui attendent d'être mieux étudiés, surtout dans l'espace maghrébin, où les apports de Ziryāb, d'Ibn Bāja, d'Ibn Jūdī, d'Ibn Ḥimāra, d'Ibn Ḥasīb etc., ont contribué à créer des mutations notables.

Guettat n'omet pas d'évoquer les influences de la *Nawba* militaire arabo-musulmane, sur la production musicale européenne médiévale classique, faisant allusion au *rondo*, à la suite, à la sonate et à tous les emprunts de la musique militaire européenne, effectués à partir de cette *nawba* depuis le VIIIᵉ siècle.

La richesse du répertoire des *nawba,* revient également à la quantité des pièces et des répertoires. Tīfāšī (1184-1253) relève, au Maghreb et al-Andalus, le nombre de 500 *nawba* ou plus, constituées de *našīd*, *ṣawt*, *muwaššaḥ* et *zajal*. Nous sommes loin, commente Mahmoud Guettat, des 24 *nawba*, agencées sur l'ordre des 24 heures du jour et de la nuit, il n'accorde d'ailleurs aucune crédibilité à cette conception purement symbolique.

7.1.2. *Musique andalouse/musique maghrébine : patrimoine musical maghrébo-andalou (démystifier les origines et explorer les spécificités)*

« Que représente cette musique ? D'où vient-elle ? De quels éléments a-t-elle été constituée ? Comment se propagea-t-elle et qu'en reste-t-il ? » (Guettat, 1980, 2000)

« La musique dite "andalouse", qu'il serait plus juste de désigner par les termes musique "maghrébo-andalouse", est un monument artistique construit sur les fondations spirituelles et linguistiques de l'Islam et de la langue arabe. Pourtant un long chemin reste à parcourir pour lui redonner toute l'importance qu'elle mérite tant au regard de ses spécificités identitaires que des valeurs d'esthétique universelle qu'elle véhicule »

« Concernant l'art musical, le Maghreb fut pour l'Andalousie une des sources d'élaboration et de transmission de la musique arabo-musulmane [...]. *Nous pouvons admettre que l'art musical a trouvé en Andalousie plus d'éclat et de rayonnement que dans les différents centres du Maghreb* [...]. *Il faut néanmoins insister sur les similitudes profondes de ces royaumes qui ont fleuri de la Tripolitaine jusqu'à l'Andalousie et contribué à l'édification de l'Occident musulman* [...]. *Les interprétations et les ressemblances attestées amènent à croire en l'existence d'un art musical homogène, du moins dans ses fondements, art que les réfugiés andalous ont contribué à enrichir et à affirmer [...]. Les répertoires des nūba montrent que, sur le plan poétique, la plus grande partie des textes a été écrite par des Maghrébins. Quant à l'aspect musical, un cachet typiquement maghrébin dans bien des ṭubū' et des rythmes est bien perceptible »*

« C'est pourquoi j'appelle à la démystification du terme andalou, très courant dans les pays du Maghreb. Comme si cette région ne possède pas sa propre musique. Autrement dit, on ne vivrait que d'un héritage andalou ».

« Malheureusement, de nos jours, même convaincus de l'approche pour laquelle j'ai toujours milité, de nombreux confrères s'accrochent à l'imaginaire, et Dieu sait que la vérité y a été bel et bien établie. On a du mal à sortir du carcan de la nostalgie et de l'habitude ».

« J'ai toujours affirmé que le mot musique classique est entièrement approprié à notre musique dite « andalouse », qui reste, à mes yeux, avant tout, une musique maghrébine. Dans le sens où cette désignation revendique une histoire, une théorie, une référence écrites. Une musique qu'on peut enseigner, qu'on peut également concrétiser par une histoire, par une

> *théorie et par des manuscrits et autres documents historiquement prouvés » (Guettat, 2010).*

- Transcender le complexe maghrébin aussi bien vis-à-vis de l'Occident que celui nourri envers le Mashreq (Orient) :

> *« La culture arabo-musulmane n'est pas la propriété exclusive de l'Orient [...]. À cause de ce complexe, nous sommes, aujourd'hui, en train de nous démarquer du Mashreq, manipulations politiques visant à « déséquilibrer » le Maghreb en le faisant sortir de son appartenance historique et civilisationnell » (Guettat, 2010).*

L'appellation « École musicale Maghrébo-Andalouse » par Mahmoud Guettat, n'en est ainsi que largement argumentée, une école qui occupe une place de choix dans ce qu'il appelle le Patrimoine musical arabo-musulman. La *Nawba* en est le témoignage le plus emblématique.

Le travail de Mahmoud Guettat sur la *nawba* Maghrébo-Andalouse, constitue un des volets qu'il a minutieusement développés. La *nawba* est décortiquée dans ses plus fins détails, sur le plan de la forme et du contenu, à travers les différentes étapes qu'elle a connues depuis le IXe, et du XVIIe siècle à nos jours, en Orient, au Maghreb et en *al-Andalus*, s'arrêtant sur ses différentes variations compositionnelles et structurelles et mettant en exergue un riche lexique relatif à la terminologie des pièces et éléments de la *nawba*.

Tableau 1 : la *nūba* traditionnelle (origine & développement : Mashriq - Maghrib)

Origine	**Développement (IV- IX/X- XVe s.)**				**Observations**
Bagdad (II-IV / VIII-Xe s.)	Orient		Andalousie – Maghreb		
	Influence irano-turco-mongole (XIe- XIIIe s.)		Ziryāb (IXe s.)	Ibn Bāja (XIIe s.)	
Našīd (*našīd al-'Arab*)	*Qawl*	*Qawl*	*Našīd*	*Našīd / Istihlāl*	Récitatif modulé de rythme libre
Basīt (chant élaboré)	*Ġazal tarāna*	*Ġazal tarāna furūdašt*	*Basīt muḥarrakāt ahzāj*	*'Amal/(istihlāl) muḥarrakāt/(murqiṣāt) muwaššaḥāt/azjāl* (poèmes légers)	Chants rythmés de mouvement allant du large au vif léger.
		Ibn Ġaybī (XIVe s.)		Tîfāšī (XIIIe s.)	
		Qawl ġazal tarāna mustazād furūdašt		*Našīd/istihlāl ṣawt - 'amal muḥarrakāt muwaššaḥ - zajal* (poèmes légers) danse	

7.1.3. L'empreinte amazigh *dans le patrimoine musical maghrébin*

Les *Amazigh*, appellation préférée à Berbères par Mahmoud Guettat, considérant que cette dernière, qui a émané des cultures grecques et romaines, est surchargée de connotations péjoratives par lesquelles on taxait tout étranger à la civilisation hellénique, tout en rappelant que les Égyptiens furent les premiers à les avoir cités sous l'appellation de *Libyens*. Mettant en exergue l'antériorité de la culture et des musiques *amazigh* aux influences grecques, carthaginoises, romaines, byzantines et arabes, Mahmoud Guettat cite Juba II (m. 22 ap. J.C.)[2], roi berbère de Hippone (Annaba), « connu des Grecs et des Romains en tant que savant, artiste et homme de lettres, auteur de plusieurs traités sur les lettres, la peinture, le théâtre, la musique, l'histoire, la géographie et la médecine ». Il cite Saint Augustin (354-431) (Saint Augustin, 1865, p. 393-415) et Martianus Capella (IVe-V^{e} ap. J-C) (Cristante, 1987), en tant qu'auteurs de traités sur la musique.

Selon Guettat, la culture *amazighe* constitue toujours une plateforme dont les racines continuent à nourrir les cultures de l'Afrique du Nord et à s'y manifester à travers toutes les expressions culturelles et artistiques. Toutes les formulations artistiques, musicales, architecturales, culinaires, artisanales etc. de l'Afrique du Nord et du Maghreb, constituent des formulations dont les racines sont berbères (*amazighes*) et traduisent les interpénétrations entre les différentes cultures et civilisations qui ont traversé la région, sur un fond libyque et plus largement, africain.

7.1.4. ***Le* ʻūd *et l'échelle musicale au Maghreb***

Mahmoud Guettat considère que l'accordage du *ʻūd* oriental, à la quarte, s'est maintenu en Orient depuis l'ancienne école musicale *ʻūdiste* au VIIIe siècle au moins, jusqu'à nos jours, sans changements substantiels. Dans l'espace maghrébo-andalou, Guettat reproduit le texte de Tifāšī (Chapitre 11), qui donne une description détaillée de l'accordage adopté. Il en déduit que l'approche d'Ibn Bāja (Avempace) perpétue la tradition de l'école orientale, dont le principe est l'accordage à la quarte.

À partir du XVIIe siècle, l'accordage du *ʻūd* maghrébin prit une configuration différente, basée sur le principe des « quintes embrassées », dont l'origine reste inconnue selon Mahmoud Guettat[3], toujours maintenue dans le *ʻūd ʻarbī*, ou *rammāl/suiri*, ou *kuitra*[4].

[2] En berbère : *Yuba win sin ou Yuva wis sin.* Il a épousé Cléopâtre Séléné, fille de Cléopâtre d'Egypte.

[3] Il remarque que : « Dans la terminologie des Shleuhs de la région de Sous et de Tiznit (Maroc), on utilise pour l'accord de « *lutar* » ou « *gumbri* », le terme « *unṯa / nṯuwa* » (femelle), pour la corde aiguë/chanterelle, et celui de « *ḏkar* (mâle), pour la deuxième corde, et « *raġūl* » pour la corde grave ; soit de l'aigu vers le grave deux quintes : sol – do – fa ». (Guettat, 2000, p. 144 ; 335).

[4] L'accordage du *ʻūd* maghrébin :

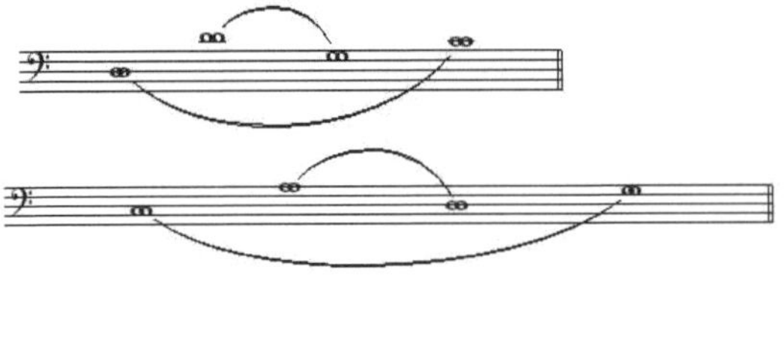

Accord du *'ūd* maghrébin

Ḏīl ***Ḥsīn*** ***Māya*** ***Ramal***

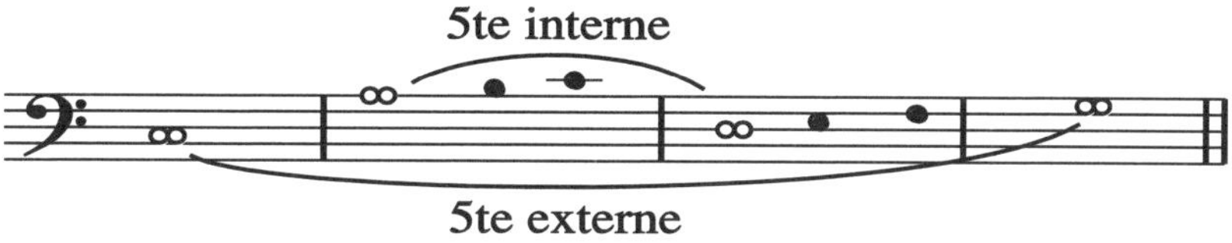

Mutation des cordes du *'ūd*			
Appellation A / ancienne école arabe	B / école maghrébo-andalouse	Succession A - B	Intervalle A - B
Bamm	*Ḏīl*	1e 1^{e}	
			4te j. - 2de maj.
Maṯlaṯ	*Māya*	2e 3^{e}	
			4te j. - 4te j.
Maṯna	*Ramal*	3e 4^{e}	
			4te j. - 2de maj.
Zīr	*Ḥsīn*	4e 2^{e}	

Considérant que le système musical de l'école arabe ancienne (Isḥāq al-Mawṣilī et ses disciples) a été préservé par l'école maghrébo-andalouse, Guettat affirme que la musique berbère *Amazigh,* surtout à l'ouest du Maghreb, a aidé à adopter le système diatonique et à le confirmer. Il n'en a pas été de même pour la partie orientale du Maghreb et du monde arabe, où des transformations « radicales » se sont produites à cause de l'infiltration des valeurs scalaires persanes et turques, telle que la succession *limma-limma-comma*, ou le médius de Zalzal et le médius persan, ainsi que les intervalles de 1 3/4 et 3/4 (valeurs approximatives).

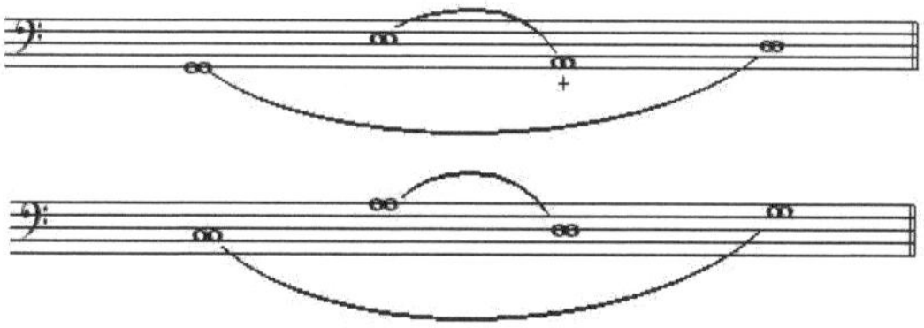

Échelle 1 : école de l'Ouest maghrébin (Maroc-Algérie)

Échelle 2 : L'école de l'Est (Tunisie-Libye)

Quant au *'ūd* de Ziryab, Guettat réfute l'explication de l'ajout de la 5e corde par un simple souci de l'élargissement de l'ambitus de l'instrument et considère que la dimension abstraite y constitue le mobile fondamental. Il réfère la 5e corde aux éléments de la nature, aux caractères humains, aux couleurs, etc., traçant une continuité avec les interprétations des auteurs classiques (Ibn Ḥayyān, *al-Muqtabas,* II, 1re partie ; al-Maqqarī, *Nafḥ al-ṭīb,* III, 123).

4.1.5. La notion de *ṭab'*

La notion de *ṭab'*, qui d'après Guettat est plus large sémantiquement, par ses dimensions abstraites, voire métaphysiques, que la notion de *maqām*, a été utilisée à partir du XVIe siècle. Il ajoute que tout ce qui a été tissé autour de l'adoption de la musique maghrébo-andalouse de 24 modes *ṭab'* liés aux heures de la journée et de la nuit, est une hypothèse basée sur des suppositions non fondées. La simple constatation chronologique du nombre des *ṭubū'* cités par les sources, démontre qu'ils ont connu une croissance à travers les temps :

- Au XIVe siècle, seuls quatre *ṭubū'* ont été cités dans un texte de Lisān ad-Dīn Ibn al-Ḵaṭīb (1313-1374)[5] : *Ḏīl, 'Rāq al-'arab, Raml al-Māya, Raml.* Guettat doute de l'authenticité du texte, considérant que ces informations pouvaient provenir d'un des copistes.
- Au XIVe siècle, le poète soufi Sidi Moḥammed al-Ḏhrīf (m.1385) ne cite pas le terme *ṭab'*, mais il étale 14 appellations de *ṭubū'*, dans un poème célèbre connu sous le nom de la Noria des *ṭubū'* (modes) : *Rahāwī, Ḏīl, Raml, Aṣbahān, Sikāh, Mḥayyar, Mazmūm, 'Rāq, Ḥsīn, Nawā, Raṣd Ḏīl, Māya, Raṣd, Aṣba'ayn.*
- Au XVIe siècle, 'Abd al-Wāḥid al-Wanšarīsī (m.1549) (Maroc), cite le terme *ṭab'* et en rapporte dix-sept.
- Au XVIIe siècle, le nombre atteint 23 modes *ṭab'*, avec Muḥammad al-Wajdī.
- En 1800, Muḥammad Ibn al-Ḥassan al Ḥāyik, cite 26 modes *ṭab'* (5 principaux et 21 sous-modes).

---

[5] نفاضة الجراب في علالة الاغتراب Ce qui reste dans la mémoire d'un expatrié.

- Au XIXe siècle, Ibrāhīm al-Tādilī, cite le même nombre, 26.

Guettat en conclut que pour le Maroc (de al-Wanšarīsī à Tādilī), le nombre des modes *ṭubū'* a évolué de 17 à 26 (5 principaux et 21 auxiliaires).

ṭab' fondamental [5]	*ṭab'* dérivé [21]
Ḏīl	*'irāq al-'arab, ramal al-ḏīl, raṣd al-ḏīl, mašriqī al-ṣaġīr, 'irāq al-'ajam, mujannab al-ḏīl* et *istihlāl* (*al-ḏīl*)
Māya	*raṣd* (*madanī*), *ramal al-māya, ḥsīn, inqilāb al-ramal* et (*ṣīka*)
Zīdān	*iṣbihān, hijāz al-mašriqī, ḥijāz al-kabīr, ḥiṣār, zawarkand,* 'uššāq
Mazmūm	*ġarībat al-ḥsīn, ḥamdān* et *mašriqī*
Ġarība al-muḥarrara	(sans dérivé)

Concernant le patrimoine algérien, le document contenant les textes des *nawba* le plus ancien cité et étudié par Mahmoud Guettat, remonte au XVIIe siècle. Quant au document décrivant les *ṭubū'*, il date du XIXe siècle, il s'agit de *Kašf al-qinā' 'an ālāt al-samā'* (dévoilement des instruments de la musique), de Abū 'Alī al-Ġawṯī (imprimé en 1904), qui cite 12 modes *ṭab'* :

Ḏīl, Raṣd-Ḏīl, Māya, Sīka, Mazmūm, Raml al-'Ašiyya, Zidān, Raml al-Māya, Ḥsīn, al-Ġrīb, al-Mjanba, Raṣd. Ce document omet de citer 4 modes *ṭab'* : *Muwwāl, Ġribat al-Ḥsīn, al-Jarka et 'Rāq.*

Seuls 13 modes *ṭab'*, ont été cités pour la Tunisie (même chose pour la Libye) :

Ḏīl, 'Rāq, Sikā, Ḥsīn, Raṣd, Ramal-māya, Nawā, Aṣba'ayn, Raṣd Ḏīl, Ramal, Aṣbahān, Mazmūm (Muḥayyir pour la Libye), *Māya.*

Il en résulte que le nombre des *nawba* de l'espace maghrébin est variable d'un pays à un autre, que plusieurs *nawba* ont disparu, qu'il n'y a pas une fixation théorique du nombre des *nawba*, et que l'idée de l'existence de 24 *ṭab'* et *nawba* liés aux heures de la journée et de la nuit, est une hypothèse basée sur des suppositions non fondées.

⇨ Le répertoire des *nawba*, ainsi que tout le système musical maghrébo-andalou, constitue une entité dont les composantes se complètent, car c'est bien en Ifrīqiyā (Tunisie) et dans tout le Maghreb que cet art s'est développé, avant de s'instaurer en al-Andalus. Et pour preuve : la tradition de la *nawba* des *'ūdistes*, était bien enracinée dans les capitales maghrébines, des chants étaient composés sur le modèle de la *nawba*. Les flux migratoires entre les deux rives contribuaient à créer la fusion entre les cultures et les productions artistiques andalouses et maghrébines. L'apport des morisques consolida toutefois cette tendance par un enrichissement indéniable sur tous les plans.

⇨ Le répertoire classique des *nawba*, n'est point un simple héritage andalou, que les Maghrébins ont su/essayé de conserver.

7.1.5. Évolutions de la nawba

Le principe de l'évolution de la *nawba*, tel qu'il est développé par Mahmoud Guettat, est argumenté par la continuité qu'elle a réussi à accomplir du Xe siècle à nos jours, et par les différentes formulations qu'elle s'est confectionnées à travers les différents espaces culturels qu'elle a investis.

Le grand témoignage de sa capacité à subsister, **se manifeste dans la pérennisation de la désignation *nawba* au Maghreb,** désignation qui n'est plus usitée dans les autres pays de tradition musicale arabo-musulmane, où elle a failli disparaître et dont seules des bribes de son corps original, continuent à subsister tels que les *taqsīm*, *bašraf*, *šarqī*, *dawr*, *tawšīḥ*, *qadd*, etc..

Des répertoires qui traduisent une évolution tangible de la *nawba*, continuent toutefois à en développer les stratégies compositionnelles, la diversité des formes et les performances vocales et instrumentales, dans plusieurs pays de l'Orient. Mahmoud Guettat leur a consacré une part importante dans ses études (en l'occurrence Guettat, 2016, p. 162-168) : la *waṣla* syro-égyptienne, le *maqām* irakien, le *sawt al-ḫalījī* (pays du Golf arabe), la *qawma* du Yemen, la *nawba* maghrébine, l'*azawān* mauritanien, le *fāṣil* turc, le *šāš maqām* ouzbek et tadjik.- le *radīf/dastakāh* iranien, le *mugām* azéri, le *on ikki muqām* des Ouïgours de Kachgarie et d'Ili, le *raga* du Nord de l'Inde, d'Afghanistan et du Pakistan.

Tableau 2 : *La waṣla traditionnelle du Mashriq arabe (XVIIIe–XXe s.)*

Région / école	Répertoire terminologie/ nombre	Prélude / ouverture	Phase principale (chant)	Interlude	Final	Pièces complémentaires
syro-egyptienne	*wasla* (22)	*bašraf* (i) *muwaššaḥ* (v) *dulāb* (i)	*dawr* *qaṣīda*	*samā'ī* (i) *taqāsīm* (i) *layālī* (i/v) *mawwāl* (i/v)	*lunga* (i)	*ṭaqṭūqa*(i/v) *qadd* (i/v) *taḥmīla* (i)
'iraq	*maqām* (5 *fuṣūl*)	*badwa* (v) *taḥrīr* (v)	*inšād* (*jalsa*/*mayāna* /*qarār*/*qita'*/ *awṣāl*)	*lāzīma*/ *muḥāsaba* (i)	*taslīm*/ *taslūm* (v)	*irtijālāt* (i/v)
Sud-Est de la presqu'île arabique	*ṣawt* (?)	*istimā'* (i/v) *tahrīra* (i/v)	*ṣawt* (*'arabī*) *sawt* (*shâmī*)	*lāzima*/ *muḥāsaba* (i)	*ḥātima*/ *tawšīḥa* (v)	*irtijālāt* (i/v)
Yemen	*qawma* (?)	*firtāš* (i) *baytayn* (v)	*das'a*/ *da'sa* *wusta* *sari'*	*nuqla* (entre les 3 cycles) (i)	*tawassul* (v)	*irtijālāt* (i/v) danse

Tableau 3 : *Nawba* du Maghreb

Pays	***Nawba*** **rép./ nombre**	**Prélude/ ouverture/ finale**	**Phases rythmiques/ vocales (principales)**	**Introduction/ intermèdes (internes)**	**Pièces complémentaires (fixes - improvisées)**
Maroc	*āla/ ṭarab* (11) (4+7/ 15)	*mišāliya* { *kubrā* (i) { *suġrā* (i) *inšād ṭab'* *al-naġma* (i) *buġya* (i) *tūšiya* de la *nūba* (i/v)	*basīt* (i) *qāyim wa nusf* (ii) *bṭāyḥī* (iii) *draj* (iv) *quddām* (v)	*tusiya* des *mayazin* (avant, dans ou a la fin des *ṣanayi'*) (i/ v) *raddān al-jawāb* (i)	*baytayn* (v - i) *mawwāl/muwwāl* (v/i)
Algérie	*ġarnāṭī/ san'a/ mālūf* (12)	*dā'ira* (v) *mistaḵbar al-san'a /* *mišāliya* (i) *tusya* (i) (avant le *mṣaddar* et l'*inṣiraf* ; a la fin de la *nuba*)	*mṣaḏḏar* (i) *bṭāyḥī* (ii) *darj* (iii) *inṣirāf* (iv) *ḵlāṣ* (v)	*kursi/krisi* (i) (pas pour le *ḵlaṣ*) *raddan al-jawab* (i)	*nūba niqlāb* (7) *šanbar* (i) *bašraf* (i) *istiḵbār* (v/i) *kursī* (i) *mīzān* (i) *niqlāb* (v) *qādriya* (v)
Tunisie	*mālūf* (13)	*istiftāḥ* (i) *mṣaddar* (+ *ṭawq* + *silsila*) (i) *abyāt* (i/v)	*bṭāyḥī* (i) *barwal* (ii) *draj* (iii) *ḵafīf* (iv) *ḵatim* (v)	*dḵūl* (*abyāt, bṭāyḥī, ḵatim*) (i) (*barwal*) (v) *lāzima / fāriġa* (*abyāt, bṭāyḥī, draj, ḵafīf*) (i) *tusya* (entre le *bṭayḥi* et le *barwal*) (i) *raddan al-jawab* (i)	*istiḵbar* (i) (dans le *dḵul abyat* / apres la 1re partie et a la fin de la *tusya*) (i) *msadd* (variation a la fin de *tusya*) (i) *qaṣida* (v) *šgul / sjul* (v) *fūndū* (v) *šanbar* (i) *bašraf /* *bašraf samā'ī* (i)
Libye	*maluf / fann* (?)	*istiḵbār* (i)? a/ *istiftāḥ* (v) b/*istiḵbār/ inšād/ baytayn* (v)	a/ *barwal* (i) b/ *mṣaddar* (i) *murakkaz* (ii) *barwal* (iii)	*raddan al-jawab* (i)	*muwassaḥ sarqi* (v) *dawr* (v)

⇨ Mahmoud Guettat conclut : c'est au sein de ces macrosformes musicales, qui décrivent l'évolution de la *nawba* classique, que se trouve l'ensemble des genres chantés et instrumentaux du répertoire classique, et à travers eux les éléments fondamentaux du langage musical local. C'est également un témoignage de la grande capacité de l'art arabo-musulman à assimiler les répertoires des expressions artistiques, développés par les peuples du grand espace de la civilisation musicale arabo-musulmane, dans un processus de continuité et de créativité ininterrompues (Guettat, 2016, p. 164).

7.2. L'échelle musicale, la constitution des échelles, le système scalaire musical arabe (Guettat, 2016, p. 181)

La problématique de l'échelle musicale occupe une place prépondérante dans les recherches de Mahmoud Guettat, elles couvrent cette question théorique sur plusieurs niveaux, en l'occurrence, l'échelle musicale arabe et ses différentes évolutions, depuis l'époque antéislamique de la *jāhiliyya*, jusqu'à l'époque moderne, en passant par les principales écoles qui ont marqué la pensée musicale arabo-musulmane : l'école arabe ancienne des *'ūdistes*, l'école des *ṭunbūristes*, l'école des *systématistes* et l'école « moderne » (Guettat, 1986, p. 21).

L'approche de Mahmoud Guettat sur cette question s'est principalement penchée sur les points suivants : Comment ces échelles se sont-elles constituées ? Quelles sont leurs composantes dans l'univers *maqāmique*, mais aussi dans les musiques polyphoniques, dans une approche analytique et comparative critique ?

7.2.1. Approches quantitatives des échelles

Mahmoud Guettat propose dans au moins deux de ses ouvrages (1986 et 2016) des récapitulations synthétiques des principales théories des échelles de l'antiquité grecque à l'Europe moderne, en passant en revue les différentes approches quantitatives des systèmes et des tempéraments et en accordant une place de choix au principe d'élaboration des échelles basé sur le cycle des quintes et quartes alternées. Il confirme l'application de ce principe dans la sphère civilisationnelle arabo-musulmane, en prenant à témoin les traités théoriques arabes médiévaux qui fondent leurs approches quantitatives des intervalles et des échelles sur le *'ūd* et son accordage par quartes successives et sur des systèmes de frettages qui font appel à la logique pythagoricienne.

Cependant, il oppose d'importantes réserves à la transposition des principes inférés du système harmonique tonal — et de son ultime expression qui prend la forme du tempérament égal — sur les traditions monodiques modales. Une telle application entraîne en effet une double problématique : celle de l'incapacité de décrire pertinemment les systèmes spécifiques de ces traditions, y compris dans l'exégèse des traités musicaux arabes médiévaux, et celle d'opérer des mutations dans les pratiques musicales elles-mêmes. Quelques exemples de ces lectures et interprétations :

- La taxation de simplicité et de naïveté de l'échelle arabe antéislamique, suite à une mauvaise interprétation des textes d'al-Fārābī sur le *ṭunbūr al-baġdādī*, dont l'ambitus a été réduit à un ton et un *limma* (2016, p.196).
- La référence à des intervalles inhabituels, étranges et compliqués, en contradiction avec l'explication d'al-Fārābī, et incompatibles avec la logique scientifique et artistique de la théorie de l'échelle (2016, p.199).

⇨ Guettat répond à ces conclusions paradoxales, en reprenant les textes d'al-Farābī (Xe s.) et d'al-Ḥasan al-Kātib (XIe s.), relativement à l'instrument de référence, al-*ṭunbūr al Baġdādī*, et en corrige la lecture (Guettat, 1986, p. 12).

M. Guettat ajoute que ce système musical ne peut être évalué par l'ambitus de son échelle, mais par d'autres critères tels que la richesse de ses performances créatives et compositionnelles et ses grandes aptitudes inventives.

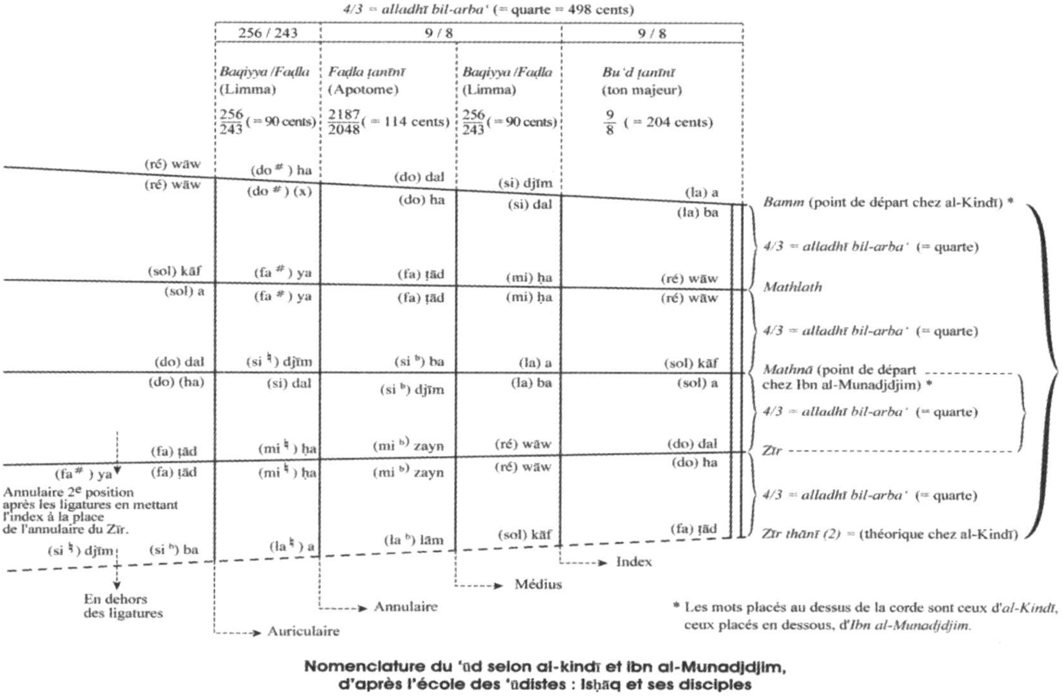

Figure 1 : Nomenclature du *'ūd* selon al-Kindī et Ibn al-Munajjim (école des *'ūd*istes : Isḥāq et ses disciples

'udistes (Kindī + Isḥāq) (IX)	Muṭlaq								Sabbāba	Wusṭā					Binṣir	Khinṣir
Tunburistes : Fārābī (X)	~	mudjannab qadīm	mudjannab			mudjannab Fārisī	mudjannab Zalzal		~	Wusṭā qadima	Wusṭā fārisiyya		Wusṭā Zalzal		~	~
Tunburiste : Ibn Sīnā (XI)	~	(~)		~	mudjannab Zalzal	-			~	W. qadima/ W. fārisiyya					~	~
Systématiste : Ṣafiyyu al-Dīn	~	Zā'id							~	W. fārisiyya				Wusṭā Zalzal	~	~
Rapports	0	256/243	18/17	16/15	13/12	162/149	54/49	65536/ 59049	9/8	32/27	81/68	39/32 -	27/22	8192/6561	81/64	4/3
Cents (1200 / 8ve)		90	99	112	139	145	168	180	204	294	303	343	355	384	408	498
Comma holder (53/8ve)		4	4,9	5,6	6,2	6,4	7,4	8	9	13	13,4	15,2	15,7	17	18	22
Savarts (301 / 8ve)		23	25	28	34,7	36	42	45	51	74	76	85,5	89	96	102	125
Corde (600 mm)		30,5	33,33	36,16	46,15	48,15	55,55	59,4	66,66	93,75	96,3	107,7	111,1	119,46	125,92	150
Doigtée	0	(1)	(1)		(1)	(1)	(1)	(1)	I	II	(2)	(2)	(2)	(2)	III	IV/0
Notes conventionnelles	Do	Ré ♭	Ré ♭++		Ré 𝄳-	Ré 𝄳	Ré 𝄳+	Ré 3-	Ré	Mi ♭	Mi ♭+	Mi ♭-	Mi 𝄳	Mi 𝄳.	Mi	Fa

baqiyya / limma
1/2 pyth. / diat.

faḍla ṭanīnī / apotome
1/2 chroma. = 114 cents 2187/2048

bu'd ṭanīnī / ton majeur

type d'intervalles :

secondes neutres fluctuants entre seconde mineure / seconde majeure

tierce mineure pythagorique

tierces neutres fluctuants entre tierce mineure et tierce majeure

tierce majeure pythagorique

quarte juste

* Les notes intermédiaires (utilisées par commodité) sont approximatives.

Figure 2 : Tableau comparatif des trois systèmes sur une corde du *'ūd* (la corde libre transposée en *do*)

À propos de l'échelle, M. Guettat constate que les intervalles neutres attribués à Manṣūr Zalzal (m.791), apparus plus tard avec les écrits d'al-Fārābī et d'Ibn Sīnā, étaient vraisemblablement répandus parmi les musiciens de l'ancienne école arabe. Zalzal non seulement existait avant al-Kindī (801-973), mais il était le maître d'Isḥāq al-Mawṣilī (765-850). Il a été probablement inspiré par la réalité pratique de l'époque, car ces intervalles semblent être l'une des composantes fondamentales de la modalité arabe tant classique que populaire. À cause de leurs rapports approximatifs, ils auraient été négligés par les premiers théoriciens (Kindī et Ibn al-Munajjim) (Guettat, 2003b, p. 32-33).

7.2.2. *La modalité/*maqāmiyya *arabe, origines et évolutions (Guettat, 2016,* p. 233)

Il est courant de considérer le rapport de l'échelle au mode et au *maqām*, deux entités indissociables, comme étant substantiel. Mahmoud Guettat avance toutefois qu'au lieu de dresser une échelle normative qui serait fixée et édictée pour expliquer les modes *maqâm* et les analyser, des résultats plus conformes à la réalité de cette modalité gagneraient à être fondés sur une analyse de la réalité vivante desdits modes *maqām* qui serait effectuée à partir de leurs composantes scalaires, leurs degrés et intervalles. Il considère qu'un préjugé ne cesse d'investir la question de l'échelle musicale, prétendant unifier la pensée musicale arabe par une échelle unique et normalisée, alors que tout prouve, sur le plan de la pratique musicale, mais aussi sur le plan de la recherche scientifique, que **l'échelle musicale n'est qu'une concrétisation des éléments structurels des musiques des peuples et elle ne peut être préétablie et leur être imposée**.

Pour M. Guettat, une telle opération ne peut que transformer les modes *maqâm* et les remplacer par de nouvelles structures codifiées. Il n'en reste pas moins vrai, selon lui, qu'une telle procédure relève d'une autre approche d'un autre ordre, mais certainement pas de l'étude des *maqām* (2016, p. 265) !

Mahmoud Guettat argumente l'incohérence de la procédure normative de l'échelle musicale, par la progression que la question a connue à partir des investigations d'al-Fārābī, dont une des principales orientations fut le dépassement des degrés principaux, décrits auparavant par Isḥāq al-Mawṣilī (10 degrés), al-Kindī (16 degrés) et Ibn al-Munajjim, pour englober plusieurs possibilités engendrées par les sons stables et instables produits par les expressions musicales. Il cite qu'Al-Fārābī et Ibn Sīnā, comptabilisèrent 37 intervalles inférieurs au ton pythagoricien (de valeur de 9/8), qu'une variété d'échelles fut proposée depuis, avant la stabilisation effectuée par Ṣafiyu-d-Dīn al-Urmawī avec ses 18 degrés et 17 intervalles (2016, p. 219). Guettat considère que ces valeurs sont surtout le fruit d'investigations mathématiques, qu'elles ne font pas l'unanimité des théoriciens arabes eux-mêmes, et ne correspondent pas toutes aux réalités de la pratique. Il est donc erroné, selon lui, de les adopter toutes pour dresser une échelle représentative de ces traditions musicales ancestrales (2016, p. 203).

D'après Guettat, **la question continue à fluctuer entre la théorisation conceptuelle idéale et les impératifs de la pratique usuelle.** Elle s'est néanmoins stabilisée, à l'époque moderne, sur une échelle composée de 24 intervalles, loin des réalités des 114 *maqām* et *ṭubū'*, recensés par le congrès de la musique arabe (Le Caire, 1932). Un constat sur la survivance de ces *maqām* et *ṭubū'*, à la suite de cette normalisation s'impose.

7.3. L'esthétique musicale dans la pensée d'al Fārābī (2016, p. 266)

Reprenant une appréciation énoncée par Henry George Farmer sur le patrimoine musical arabe, le considérant comme un des meilleurs et précieux cadeaux offerts à l'humanité, Guettat ajoute qu'al-Fārābī y représente le principal pilier, en tant que théoricien et praticien. Bien que précédé par le grand al-Kindī, al-Fārābī reste le fondateur des études philosophiques dans le monde musulman, mais également de la philosophie islamique. Ses idées, ses recherches et thèses, ont engendré les pensées des grands philosophes de l'Orient, du Maghreb et d'al-Andalous, dont Ibn Bāja (Avempace), Ibn Ṭufayl, Ibn Rušd (Averroès), Mūsa Ibn Maymūn (Moïse Ibn Maymūn ou Maïmonide) et bien d'autres. Cette influence est bien manifeste dans le champ musical, par ses apports mathématiques, philosophiques (la sagesse, la place de la musique à côté de l'arithmétique, la géométrie et l'astronomie), et par la continuité qui s'est formulée dans les travaux d'Ibn Sīnā (Avicenne), Ibn Zayla, Ḥasan al-Kātib, Ibn Bāja (Avempace), Ṣafiyu-d-Dīn al-Urmawī ... Cette influence est également perceptible dans la pensée européenne, que nous pouvons apercevoir à travers les traductions de ses livres en latin et en d'autres langues européennes (à partir de la deuxième moitié du XIIIe siècle) (*ibid.*, p. 285).

Conclusion

Les travaux de Mahmoud Guettat couvrent plusieurs autres thématiques et sous-thèmes, nous en citons les quelques intitulés qui suivent : la recherche scientifique musicologique, le travail de terrain, l'apport du travail de terrain dans l'étude des musiques populaires, la documentation et la recherche scientifique, l'impact du mythe de la différentiation des genres musicaux sur les études musicales, l'analyse musicale, la poétique et la musique arabe, le congrès de la musique arabe (Le Caire 1932), les enregistrements phonographiques du patrimoine musical arabe, le lexique général et la terminologie de la musique arabe, la musique arabe au temps des nouvelles technologies de l'information, l'aliénation musicale au temps du nouvel ordre mondial, la place de la musique dans les sociétés arabes entre la sacralisation et la diabolisation, les dimensions sémantiques de la modalité *maqāmiyya* arabe d'après l'arbre des *ṭubū'*, pour une réécriture de l'histoire de la musique arabe, la musique arabe d'après les écritures des orientalistes, le rôle de la musique et des arts de la scène dans le rapprochement entre les peuples arabes et africains (exemple d'Oman), les rituels et les festivités arabo-africains (l'exemple afro-omanais).

Les travaux de Mahmoud Guettat sont donc d'un haut intérêt pour les différentes représentations du phénomène musical, en particulier oriental, arabe, méditerranéen et africain, dans sa diversité et sa complexité. Cet intérêt a généré un nombre important de recherches, d'études, de livres et de synthèses, qui en caractérisent les fondements.

L'œuvre de Mahmoud Guettat[6] continue à produire et à engendrer la perpétuation d'une réflexion dont les ramifications n'en finissent pas de générer des ouvertures à de nouveaux champs de recherches en langues arabe, française, anglaise, espagnole et autres. Elle promet de larges et riches perspectives.

---

[6] Pour une liste établie par ordre chronologique, cf. à ce sujet, Guettat, 2004, p. 71-73 et 234-236 ; Guettat, 2016.

Bibliographie

AUGUSTIN (Saint), 1865, *Traité de la musique De Musica*, trad. par M. M. Cituleux et Thénard, *in Œuvres complètes*, Paris, Bar-Le-Duc, L. Guérin Éditeur, vol.3, p. 393-415.

GUETTAT, Mahmoud, 1980, *La musique classique du Maghreb*, Paris, Sindbad.

GUETTAT, Mahmoud, 1986, *La tradition musicale arabe (une petite encyclopédie de la musique arabe)*, Ministère Français de l'Éducation Nationale-CNDP.

CRISTANTE , Lucio, 1987, *Martiani Capellae De Nuptiis Philologiae et Mercurii liber IX, Padoue, Antenore.*

GUETTAT, Mahmoud, 1992, *Le Guide de l'Institut Supérieur de Musique*, Tunis, ISM.

GUETTAT, Mahmoud, 1999, *La Musica Andalusi en el Magreb, Simbiosis musical entre las dos orillas del mediterraneo*, Sevilla-Fondaćion El Monte.

GUETTAT, Mahmoud, 2000, *La musique arabo-andalouse / L'empreinte du Maghreb*, Paris/Montréal, El Ouns/Fleurs sociales.

GUETTAT, Mahmoud, 2003a, *Le Patrimoine musical arabe, l'école Maghrébo-Andalouse*, en langue arabe, Académie de la Musique arabe.

GUETTAT, Mahmoud, 2003b, "*Naẓariyyat takwīn al-salālim al-mūsīqiyya wa-n-niẓām al-mūsīqī al-'arabī*" (Théorie de la formation des échelles musicales et le système musical arabe), revue *al-Baḥṯ al-mūsīqī*, Bagdad-Amman.

GUETTAT, Mahmoud, 2004, *Musique du monde arabo-musulman, Guide bibliographique*, Paris, Dâr al-Ouns.

GUETTAT, Mahmoud, 2010, interview donnée à Amine Goutali, publiée dans *Horizons* le 05/10/2010, http://www.djazairess.com/fr/horizons/14364.

GUETTAT, Mahmoud, 2018, interview donnée à Fadela Hebbadj : « Mahmoud Guettat : un bâtisseur de mémoire » (Interview – BLOG du 8 oct. 2012), publiée dans *Mediapart* le 4 février 2018.

GUETTAT, Mahmoud, 2016, *Rapport de synthèse autobiographique*, مسيرة وإنجازات, Université Tunisienne.

La fondation institutionnelle de la musicologie en Tunisie : contextes, prétextes et nécessités

Samir BECHA*

En reprenant une communication présentée dans le cadre de la 9e Rencontre musicologique internationale de l'Université Antonine « Musicologie francophone de l'Orient », cet article a pour propos d'analyser l'acte de l'institutionnalisation de la musicologie en Tunisie, dans ses prémisses, ses contextes et ses finalités. Or, il est légitime de questionner l'inéluctabilité d'une telle institutionnalisation. Il est vrai en effet que l'élaboration de discours cohérents sur la musique n'attend pas l'édification des cadres institutionnels appropriés. Elle peut être le fait de chercheurs autonomes qui parviennent à réunir hors-institution les trois verbes requis à cet égard : « pratiquer [la musique] », « dire [la musique] » et « écrire [sur la musique] ». Cependant, toute pratique musicologique requiert pour être validée que son inscription scripturale, en tant qu'acte discursif « scientifique » ayant pour objet un phénomène musical, soit corroborée par des pairs, en fonction de normes reconnues par une communauté scientifique comme s'inscrivant dans une épistémè clairement définie. C'est en ce sens que Rémy Campos a souligné la nécessité historique de l'institutionnalisation de la musicologie en France, au début du XXe siècle » (Campos, 2006). C'est en ce sens également que le présent article considère comme incontournable pour un pays (doté d'un enseignement supérieur de qualité) comme la Tunisie que la musicologie puisse y être pensée et exercée dans des cadres institutionnels appropriés. La fondation de l'Institut Supérieur de Musique de Tunis est ainsi passée au crible de sa filiation avec la figure emblématique de Mahmoud Guettat, en mettant en exergue la phylogénie de ses programmes d'enseignement (en fonction des équations musicologiques tunisiennes établies par Mahmoud Guettat) et les enjeux culturels et épistémologiques auxquels cette institution est confrontée, et qui déterminent les nouvelles tendances scientifiques qui l'animent actuellement.

---

* Maître de conférences (HDR) en musique et musicologie, Université de Tunis. Directeur de l'Institut Supérieur de Musique de Tunis. samirbecha63@gmail.com.

1. Les prémisses

La greffe de la musicologie dans les institutions tunisiennes a connu deux prémisses : la fondation de l'école militaire de Tunis en 1840, puis celle du palais du Baron Rodolphe d'Erlanger, entre 1912 et 1922.

La fondation de l'école militaire a, en effet, donné lieu au premier mouvement de réflexion sur le système musical en Tunisie, mais sans toutefois emprunter la voie rigoureuse de la musicologie systématique.

Une étape plus consistante dans l'édification institutionnelle d'une musicologie centrée sur le monde arabe et, plus particulièrement, sur la Tunisie, fut franchie avec le Baron Rodolphe d'Erlanger qui a eu pour projet de faire de son palais un centre de recherche consacré à l'étude de la musique arabe, dans son histoire, son système modal et rythmique et ses formes. Aux côtés du nom du Baron s'inscrit en filigrane notamment celui de Mannoubi Snoussi. Cet érudit, qui a assumé la fonction de secrétaire du Baron, a en effet consacré toute sa vie à la recherche sur la musique arabe, en abordant des sujets en rapport avec notamment l'acoustique, l'organologie, le système musical et l'histoire. Cependant, il est difficile d'attribuer aussi bien à d'Erlanger qu'à Snoussi la qualité de musicologue, ces deux figures clés de la musicographie arabe et tunisienne n'ayant pas fait montre d'une véritable maîtrise des méthodologies propres à cette discipline, ni des connaissances musicales requises. Il faut dire qu'il n'est pas rare que quelqu'un qui ne connaît pas vraiment la musique puisse se déclarer chercheur en musique. Tout ceci n'est pas sans rappeler ces recherches qui ont été réalisées au début du XXe siècle, lors de l'intégration de la musicologie dans le département de littérature à la Sorbonne. À cet égard, on peut faire référence une deuxième fois à l'article susmentionné de Campos (2006).

2. La fondation de l'Institut Supérieur de Musique de Tunis

Il reste que l'histoire de l'institutionnalisation proprement dite de la musicologie en Tunisie s'identifie avec la fondation de l'Institut Supérieur de Musique de Tunis (ISMT) au mois d'octobre 1982[1].

C'est à cette date que pour la première fois une institution du Maghreb est dédiée officiellement à la *musicologie* en tant que discipline scientifique vouée à l'étude du *mystère* phénoménal de la musique, tel qu'il est pratiqué par les musiciens et les musiciennes et tel qu'il est discuté par eux, en tentant de lui fournir un appareil méthodologique permettant de le décrire et d'en sonder les significations.

Ce fut pour les étudiants de la première heure (que nous étions à cette époque-là) une approche quasiment énigmatique, dotée d'une multitude de nouveaux savoirs à découvrir et étudier : l'histoire de la musique, l'organologie, l'ethnomusicologie, l'anthropologie de la musique, la philologie musicale, le psychologie de la musique

---

[1] L'institut fut créé par l'article 135 de la loi n° 82-91 du 31 décembre 1982 portant loi de finances pour la gestion 1983. L'article 2 du décret n° 84-862 du 26 juillet 1984 portant organisation de l'Institut Supérieur de Musique a précisé la mission de cette nouvelle instance. Cette loi a été révisée par la loi n° 1383 du 27 août 1990.

etc.. Et cette découverte nous la devions pleinement à Mahmoud Guettat[2] qui n'est autre que le fondateur historique de cette institution universitaire.

Cette figure clé de la musicologie tunisienne et maghrébine se trouve à l'intersection des lignages de ses deux maîtres : Jacques Chailley, acteur institutionnel crucial de la musicologie française au XXe siècle, et Trần Văn Khê, éminente figure de l'ethnomusicologie francophone, spécialiste de la tradition musicale vietnamienne.

Ayant intégré et assumé dans ses propres recherches musicologiques (réalisées sur les traditions musicales tunisiennes, maghrébines et arabes) les voies heuristiques développées par ces deux maîtres, Mahmoud Guettat a voulu assoir les programmes d'enseignement qui allaient être dispensés à l'ISMT sur une synthèse de ces legs méthodologiques, qu'il calibra en sorte qu'elle puisse être pertinemment et soigneusement implémentée sur le champ des traditions musicales locales et régionales.

C'est ainsi que l'enseignement musical dispensé à l'ISMT était focalisé sur la musique arabe et la musique tunisienne locale dite classique, et plus particulièrement l'étude d'*al-ūd al-'arbī*, du *rabāb* et des *naġārāt*, ces instruments qui sont devenus aujourd'hui, malheureusement, des instruments de musée et de catalogue touristique, mis en exergue pour satisfaire le côté exotique des visiteurs étrangers.

Quant à l'enseignement de l'analyse musicale, il prit alors la forme privilégiée d'une matière dénommée « Analyse de la musique arabe ». Mahmoud Guettat y a fait recours à la phénoménologie musicale (Piguet, 1996, p. 145-158), en veillant sur l'expérience pour accomplir l'unification entre le rationnel et l'irrationnel, le concret et l'abstrait, le matériel et l'immatériel. Il y faisait en tout cas montre d'une grande vigilance à l'égard des expériences de métissage musical entre traditions monodiques modales et système harmonique tonal, sous couvert de modernité musicale[3]. Il écrivait à l'époque que cette nouvelle orientation

> *« a eu des conséquences désastreuses, hélas ! Se traduisant par l'expression d'une sorte de "chanson sentimentale" individuelle et légère..., au-*

---

[2] Professeur émérite (Université de Tunis), chercheur spécialiste en musicologie et civilisation arabo-musulmane. Fondateur de l'Institut Supérieur de Musique de Tunis et initiateur de l'enseignement musicologique à l'université tunisienne depuis 1982. Membre permanant du Comité Scientifique, et rédacteur en chef de la revue « *Al-baḥṯ al-mūsīqī* » (Académie Arabe de la Musique/Ligue des États Arabes), coordinateur régional du projet de l'UNESCO « la musique dans la vie de l'Homme/l'histoire universelle de la musique » (la région arabe, vol. IX), coordinateur de la région Maghrébine « Groupe des études de la musique arabe » (Conseil international de la Musique Traditionnelle/ ICTM), secrétaire régional de la région arabe (Conseil International de la Musique/UNESCO), membre actif du Conseil Scientifique de l'Académie Tunisienne des Sciences,des Lettres et des Arts (*Beit al-Hikma*). Auteur de plusieurs articles et livres en langue arabe et française, dont on peut citer : « *La musique classique du Maghreb* » (1980), « *La tradition musicale arabe* (1986 »), « *Études sur la musique arabe* » (1987), « *La musique arabe et turque* » (1987), « *La musique arabo-andalouse, l'empreinte du Maghreb* » (2000), « *Le patrimoine musical arabe : l'école maghrébo-andalouse* » (2003), « *Musique du monde Arabo-Musulman /Guide bibliographique et discographique* » (2004).

[3] Le répertoire de ces expériences métissées est énorme. Nous nous contenterons de citer les chansons de Sayyid Darwīš, de Muḥammad 'Abd al-Wahhāb, de Muḥammad al-Qaṣabjī, de 'Umar Ḵayrat, de 'Ammār Širī'ī en Egypte, les chansons composées pour Fayrūz par les frères 'Āṣī et Manṣūr Raḥabānī au Liban, les chansons, les compositions de Muḥammad Sa'āda, de Muḥammad Garfī et de Aḥmad 'Ašūr en Tunisie.

cune barrière n'a entravé la démarche de cette tendance qui croit à l'"universalisation" de la musique arabe par le biais des techniques du langage musical occidental [...] deux idées cohabitent au sein de cette tendance : l'une voit le "salut" de la musique arabe dans l'effacement du "quart de ton", l'autre croit trouver la solution dans l'ajout de ce "quart de ton" aux instruments tempérés comme l'accordéon, le piano et récemment l'orgue et certains instruments à vent comme la trompette, la flûte et le hautbois. Comme nous pouvons le constater, les deux idées aspirent au même objectif : tempérer l'échelle musicale arabe afin de pouvoir introduire, à volonté, les règles de composition du système tonal de la musique occidentale et créer des "orchestres symphoniques arabes" » (Guettat, 1986, p. 51).

Malgré sa méfiance envers ces tendances syncrétistes musicales, Mahmoud Guettat ne refusait cependant pas l'ouverture à l'altérité, puisqu'il introduisit à l'époque dans le curriculum de l'ISMT des matières inhérentes à la musique savante européenne, comme la formation musicale occidentale, l'harmonie, le contrepoint, la technique vocale (« vocalises »), ainsi que l'apprentissage d'instruments occidentaux, comme le violoncelle, la contrebasse, le violon, l'alto et le piano. L'essentiel dans tout cela, précisait M. Guettat, est de savoir comment utiliser ces instruments de musique et la manière de les intégrer à l'orchestre à travers des arrangements musicaux bien étudiés.

3. Contextualisation de la mission et des cursus de l'ISMT

L'Institut Supérieur de Musique de Tunis est une unité académique de l'Université de Tunis, qui est vouée à la formation de cadres dans le domaine musical, en les initiant aux disciplines y afférant. La musique arabe y est considérée comme étant à la fois l'objet principal des études et un point de départ pour mieux comprendre les autres traditions musicales. Les objectifs sont alors bien précis : partir de la musique locale pour parvenir à appréhender les musiques du monde.

L'ISMT a été créé à l'époque pour répondre au besoin pressant d'améliorer la qualité de la pratique musicale en Tunisie et de pourvoir le pays en cadres musicaux dans diverses spécialités. Les responsables ont opté pour cette voie en prenant en considération que, pour promouvoir ce domaine culturel crucial, il fallait recourir aux méthodes scientifiques modernes.

Ainsi la formation théorique repose-t-elle sur des cours de musicologie et des cours de formation générale. Les premiers sont destinés à approfondir la culture musicale de l'étudiant et à le faire accéder à une vision d'ensemble de la musicologie (théories musicales, histoire de la musique, acoustique, organologie, esthétique musicale etc.). Quant à la formation générale, elle permet à l'étudiant d'élargir sa culture générale et de se familiariser avec les moyens techniques dont il a besoin dans le domaine musicologique (méthodes de recherche et de conservation, méthodologie des enquêtes de terrain, technologies audio-visuelles, psychopédagogie, langue et littérature arabes, poétique, langues étrangères etc.).

Pour la recherche, les enseignants-chercheurs, de même que les étudiants de master, effectuent des recherches en musicologie analytique et des études de terrain, qui visent à recueillir le patrimoine et à observer la vie musicale d'une manière générale. Ils œuvrent aussi à constituer un fond d'archives musicales arabes qui pourrait constituer le noyau d'un futur centre de recherches analytiques et comparatives.

En somme, il revient à Mahmoud Guettat le mérite d'avoir mis en place cet enseignement complexe et élaboré.

4. La particularité de la musique tunisienne

La Tunisie est un pays qui vit l'interculturalité et l'acculturation musicales depuis l'Antiquité (Meddeb, 1988-1999). C'est un pays à la fois maghrébin, méditerranéen, arabe et africain, influencé par les cultures orientales, en conséquence d'invasions successives, survenues tout au long de son histoire plusieurs fois millénaire. La Tunisie est un pays multi-identitaire, qui présente des identités ouvertes sur une forme d'altérité respectueuse, de fraternité et de tolérance prudente. Cette ouverture se trouve à l'origine d'une certaine multi-identité qui prend la forme d'un particularisme musical tunisien.

Ce particularisme constitue un objet d'étude privilégié pour les musicologues tunisiens, en perspective de musicologie analytique. Ces chercheurs ont en effet développé des approches méthodologiques spécifiques pour étudier les différentes musiques tunisiennes traditionnelles et actuelles[4].

Aussi ces évolutions amènent-elles à dépasser la catégorisation analytique propre à la sémiologie tripartite, élaborée par Molino et développée par Nattiez. Or, la musique n'est plus considérée comme

> *« un objet clos, fini, et destiné à être indéfiniment restauré, dans un circuit distinguant nettement les rôles : l'auteur (créateur), l'interprète (neutre), et l'auditeur (passif). Elle est au contraire un champ de productivité, le lieu d'une production qui implique en un même mouvement ces trois rôles » (Escal, 2009, p. 5).*

Dans le même sens, Saussure voit que la musique constitue « un système qui ne connaît que son propre ordre », « étant entendu cependant qu'elle n'a pas la dimension sémantique d'une langue, car elle ne dénote ni idée, ni état de fait, ni concept, ni contenu proportionnel » (Arom et Alvarez-Pereyre, 2007, p. 91).

Il appartient donc à l'analyste d'envisager la musique en tant que produit inhérent à un contexte de productivité à la fois global et très particulier, cette particularité conférant son sens à cette musique. Cela requiert d'actualiser les approches, non seulement dans les dimensions généralistes ou réductionnistes, mais aussi dans la dimension particulariste des musiques de Tunisie. En somme, la *particularité* de la musicologie analytique d'aujourd'hui, telle qu'elle est adoptée par les jeunes musicologues tunisiens, en tant qu'émanant d'une *particularité* musicale, n'est que le résultat d'une *particularité* découlant d'une multi-identité culturelle acquise depuis des milliers d'années.

---

[4] C'est le cas par exemple des approches proposées par Mohamed Ali Kammoun (2009) pour étudier les musiques des nouvelles tendances, influencées par le Jazz.

Conclusion

Connaissant les difficultés de « l'entreprise » musicologique dans le monde arabe, je suis à la fois admiratif devant le militantisme scientifique de nos chers musicologues tunisiens, et ému de ce que nous avons réalisé jusqu'à présent pour contribuer à promouvoir la légitimité de la « musicologie tunisienne ». Certes, Mahmoud Guettat a bel et bien réussi à mettre en place les fondements de cette discipline, tant sur le triple plan de l'institution, de la recherche scientifique et de l'enseignement, il reste que l'impact positif de cet avènement sur la vie musicale en Tunisie est bien perceptible : outre une activité musicale diversifiée et florissante, une stratégie de recherche musicologique nationale commence à se préciser, bien qu'il soit encore tôt d'en mesurer les retombées. L'avenir seul nous le dira…

Bibliographie

AROM, Simha et ALVAREZ-PEREYRE, Frank, 2007, *Précis d'ethnomusicologie*, Paris, CNRS.

CAMPOS, Rémy, 2006, « Philosophie et sociologie de la musique au début du XXe siècle », *Revue d'Histoire des sciences humaines*, n° 14, version numérique sur https://www.cairn.info/revue-histoire-des-sciences-humaines-2006-1-page-19.htm, article consulté le 13 janvier 2014.

ESCAL, Françoise, 2009, *Espaces sociaux, espace musicaux*, Paris, L'Harmattan.

GUETTAT, Mahmoud, 1986, *La tradition musicale arabe*, Tunis, Centre National de Documentation Pédagogique, Ministère de l'Éducation Nationale.

GUETTAT, 1987, *L'Institut Supérieur de Musique* : Le Guide (dépliant officiel- trilingue), 1e éd. Tunis-ISMT, 16p. ; 2e éd. Tunis-ISMT, 1992.

KAMMOUN, Mohamed Ali, 2009, *Les nouvelles tendances instrumentales improvisées en Tunisie : enjeux esthétiques, culturels et didactiques du jazz, de la modalité et du métissage*, thèse de doctorat en musicologie, Paris, Université Paris IV Sorbonne.

MEDDEB, Anis, 1988-1999, *Al-'ālātu al-mūsīqiyya fī Tūnis min ḫilāli al-ḥaḍāra al-būnīqiyya war-rūmāniyya*, Mémoire de DEA en archéologie et patrimoine, Tunis, Faculté des sciences sociales.

PIGUET, Jean-Claude, 1996, *Philosophie de la musique, trois approches philosophiques de la musique : la phénoménologie, le pythagorisme et la philosophie du langage*, Chêne-Bourg, Suisse, Georg Éditeur.

Annexe : chronologie des mandats des directeurs de l'Institut Supérieur de Musique de Tunis

- 1982-1986 : Mahmoud Guettat
- 1987-1988 : Ali Belarbi
- 1988-1990 : Zoubeir Lassram
- 1991-1997 : Mahmoud Guettat
- 1997-2005 : Mustapha Aloulou
- 2005-2008 : Mohamed Zinelabidine
- 2009-2014 : Saifallah Ben Abderrazek
- 2014-2016 : Mohamed Zinelabidine
- À partir de 2016 : Samir Becha

Tunisianité, maghrébinité, méditerranéité : *Musiquer les cercles d'appartenance*

Fériel BOUHADIBA*

Exprimant l'être dans son individualité et dans sa collectivité, la musique soulève indubitablement la question du sentiment identitaire. L'identité, *donnée préétablie*, préalable culturel précédant la venue de l'être au monde, *donnée intégrée*, *inclusive* nourrissant et se nourrissant du vécu individuel et social, *donnée mouvante* car sujette aux échanges, aux apports voire même aux métamorphoses, se définit dans cette essence ontologique triadique.

De par sa culturalité et son immatérialité, le musical en se positionnant aux trois extrémités du préétabli ou du préalable, de l'inclusif et du mouvant dans cette triade, pose la question des contours de l'identitaire ; les déterminer c'est retracer le parcours de l'identité en tant que construction. C'est à ce titre que nous nous proposons d'aborder les liens unissant tunisianité, maghrébinité et méditerranéité musicales, en tant que *sphères d'appropriation* du culturel, par le biais de cette triade.

1. Le musical : sphère d'appropriation du culturel

Relier la musicalité à une territorialité ne saurait se faire sans poser comme postulat de base l'immatérialité du musical et sa capacité à construire une sphère d'appropriation du culturel ancrant et dépassant à la fois les contours géographiques. S'il existe bien une spécificité tunisienne, une entité maghrébine et une culturalité méditerranéenne et si les contours de l'empreinte se font de plus en plus proches des caractéristiques générales et de plus en plus flous au fur et à mesure que nous nous éloignons du centre et que nous nous approchons de l'universalité du fait musical, c'est que chaque sphère d'appropriation du culturel par le biais du musical implique la conver-

* Docteure en Arts et Sciences de l'Art de l'Université Paris 1 – Panthéon-Sorbonne, musicologue, Enseignante à l'Institut Supérieur de Musique de Tunis et à la Faculté des Sciences Humaines et Sociales de Tunis. Membre du Laboratoire de Recherche en Culture, Nouvelles technologies et Développement (Université de Tunis), chercheure associée au Centre de Recherche sur les Traditions musicales (Université Antonine, Liban). feriel_bh@yahoo.fr.

gence de trois cercles fondateurs de l'empreinte musicale. Il s'agit des *cercles d'appartenance* relatifs au préalable musical, des *cercles inclusifs* relatifs au caractère doublement inclusif du musical et des *cercles dialoguants* relatifs à la mouvance musicale.

2. Du *préalable* et des *cercles d'appartenance*

Retracer le parcours d'une empreinte musicale, c'est tout d'abord reconstituer ses cercles d'appartenance. Dans son ouvrage *La musique arabo-andalouse : l'empreinte du Maghreb*, Mahmoud Guettat a entrepris de reconstruire le parcours de l'identité musicale maghrébine. Fin observateur, se positionnant au centre de sa tunisianité, de sa maghrébinité et de son arabité, interrogeant, de l'autre côté de la Méditerranée, l'identité musicale des temps de l'Espagne musulmane, la mission à laquelle il se voue est celle d'une reconstitution des chemins de la transhumance musicale. Il me souvient à ce propos qu'au détour d'une conversation, Mahmoud Guettat m'a dit un jour qu'au commencement de cette entreprise, il s'agissait pour lui de retrouver les origines de la musique maghrébine dans la musique andalouse. Au fur et à mesure se posa à lui la question de la détermination du préalable andalou ou de la maghrébinité de ce qui est communément appelé musique arabo-andalouse, pour aboutir finalement à ce qu'il reformula en ces termes : « la musique léguée par la civilisation arabo-musulmane, dite "arabo-andalouse" et qu'il serait plus juste de désigner par les termes "musique andalou-maghrébine", fait partie du patrimoine musical universel » (Guettat, 2000, p. 416). C'est dire toute la quête que constitue la restitution du parcours identitaire du musical, de l'identité de sa temporalité d'éclosion à l'universalité de son ouverture au monde. Penser l'identité musicale, et en l'occurrence la tunisianité musicale, c'est en ce sens penser tout d'abord la complexité du préalable musical ; ce préalable musical, construction séculaire qui s'offre à l'individu dans la territorialité de sa culture d'appartenance.

La musique tunisienne se détermine par la spécificité de ses traditions musicales, par ses points de rencontre maghrébins et par ses racines modales. Son histoire est à ce titre celle d'un entrecroisement de cercles d'appartenance. Berbérité, arabité, maghrébinité, sources ancestrales phéniciennes, romaines, confluences euro-méditerranéennes y ont abondé dessinant les cercles d'une empreinte multiple.

Mais si la tunisianité se détermine dans la rencontre de ces cercles d'appartenance, dans l'implication d'une tunisianité territoriale, de la maghrébinité d'un parcours commun et d'une méditerranéité des confluences, si elle puise dans les cercles d'une arabité culturelle et d'une modalité musicale, elle ne peut se définir que dans la synthèse créative, celle qui dans chaque cercle transforme l'en-dehors en un en-dedans porteur d'une empreinte spécifique.

3. De l'inclusif et des cercles contenants ou inclusifs

L'appartenance en tant que donnée préétablie, précédant la venue de l'être au monde, s'actualise dans la socialité de son exercice. L'arabisation de la Tunisie n'aurait su s'inscrire dans la continuité sans l'exercice d'une arabité véhiculée par une langue et une culture. De même sur le plan musical, les cercles d'appartenance, constitués d'une part par le substrat d'une culture tunisienne faite d'une succession de civilisations sur le sol tunisien et d'autre part par la présence en Tunisie de représentants de cultures allochtones à travers l'histoire, n'auraient su s'inscrire dans la continuité temporelle sans l'exercice d'une musicalité y afférente. Cet exercice est celui de l'imprégnation, de l'actualisation de l'appartenance en une empreinte identitaire. Il s'articule dans la double capacité inclusive du musical c'est-à-dire dans sa capacité à inclure et à être inclus, dans cette capacité qu'a la musique d'absorber les spécificités identitaires du lieu et de s'infiltrer dans la culturalité de son espace d'accueil. Les cercles d'appartenance engendrent dès lors des *cercles inclusifs* au sens d'une double contenance : contenance culturelle du musical et contenance musicale du culturel. À ce titre, les systèmes musicaux et les spécificités culturelles des cercles d'appartenance historiques qui se sont succédé en terre tunisienne ont imprégné la musique tunisienne mais se sont également imprégnés du préalable musical qu'ils ont trouvé en elle. Dans le seul exemple de la constitution d'un répertoire andalou-maghrébin, l'imbrication est telle que comme l'a exprimé Mahmoud Guettat :

> *« Les rapports entre le Maghreb et l'Andalousie étaient, dès le VIIe siècle, très fréquents. Il est par conséquent bien difficile de parler d'influence sans qu'elle soit réciproque. [...] il est logique de considérer que les échanges constants entre al-Andalus et le Maghreb et l'afflux des réfugiés jusqu'à la chute de Grenade ont stimulé l'activité musicale existante, engendrant un mélange fructueux, voire de nouveaux styles qui, depuis le XIIIe siècle, ont marqué en profondeur la réalité musicale des différents centres du grand Maghreb » (Guettat, 2000, p. 212-215).*

S'il y a lieu de penser une tunisianité dans l'empreinte apposée en Andalousie par un Ziryāb venu de Bagdad mais qui a fait halte à Kairouan, capitale des Aghlabides et y demeura suffisamment longtemps pour marquer la société jusqu'à donner son nom à un quartier de la ville *al-ḥay az-Ziryābī* comme l'a noté Mahmoud Guettat (2000, p. 119-120), si l'empreinte musicale maghrébine porte l'imprégnation andalouse et vice versa, si l'impact de la musique andalouse a débordé du cadre de l'Andalousie et du Maghreb pour atteindre l'Europe et l'Amérique du Sud (Guettat, 2000, p. 198), c'est qu'il est légitime de penser, et sans porter nullement atteinte à l'acte créatif, qu'en musique peut-être plus qu'en toute autre chose « rien ne se perd, rien ne se crée, tout se transforme » pour reprendre là l'expression de Lavoisier. La créativité transforme à ce titre les *cercles d'appartenance* en tant que potentialités musicales en *cercles inclusifs* en tant que répertoires acquis et empreintes actualisées. Ces *cercles inclusifs* ne sont toutefois pas sans se voir confrontés à la mouvance.

4. De la mouvance et des cercles dialoguants

Si la restitution du parcours de l'empreinte musicale implique la restitution des sources de son imprégnation et de là le retraçage de ses cercles d'appartenance et d'inclusion, elle implique également une réflexion quant à la mouvance de ses contours.

La musique s'inscrit dans les lieux de l'échange et elle est à ce titre perpétuellement sujette à la mouvance. La multiplicité des cercles d'appartenance relatifs à une même culture musicale démontre à ce titre que ce qui constitue aujourd'hui la fixité de la tradition est en réalité le fruit d'une mouvance ancestrale. Ponctuellement, dans les confluences et les cheminements des sociétés à travers l'histoire, ces dernières affirment leurs *cercles d'appartenance* et ouvrent la voie à de nouveaux *cercles dialoguants*. Toutefois pour ce qui est du musical en Tunisie, dans le Maghreb, dans l'espace méditerranéen et au-delà, la particularité des temps présents est dans la multiplicité, voire dans la surabondance des *cercles dialoguants*. Si la tradition s'est construite sur la base d'une maturation permettant la formation d'une empreinte synthétisant appartenances historiques, imprégnations culturelles et apports dialoguants, la mondialisation et le rythme de vie des sociétés dans le temps présent ne semblent plus permettre l'élaboration de cette synthèse dans les mêmes conditions. L'apport du dialogue et des influences culturelles se transforme en une consommation du dialogue et des produits culturels d'une culture de masse. La temporalité n'a plus le temps d'agir. L'ère est à l'effacement plus qu'à l'enrichissement. Les topiques des empreintes musicales du nord de la Méditerranée s'invitent dans un sud en mal de reconnaissance ; les *cercles dialoguants* ne sont plus dès lors apport mais substitution. Si la tradition a de tout temps fait l'objet d'une protection de la part des tenants de l'authenticité permettant ainsi le maintien d'un équilibre entre le substrat et l'apport, entre l'ancrage et la mouvance, cette protection se doit de remplir aujourd'hui la fonction du temps : le temps de l'imprégnation et de la perdurance de l'acquis, celui aussi de l'apport et de l'enrichissement créatif. Protéger l'empreinte d'une tunisianité, d'une maghrébinité et d'une méditerranéité musicales, c'est maintenir la cohésion dans la mouvance et la mouvance dans la cohésion ; c'est en d'autres termes permettre une cohabitation des *cercles d'appartenance*, des *cercles inclusifs* et des *cercles dialoguants*.

5. Teneur nomade et teneur sédentaire du musical

Par la cohabitation des *cercles d'appartenance*, *des cercles inclusifs* et des *cercles dialoguants*, constitutifs de la sphère d'appropriation du musical, la musique crée dans la dialectique de son éclosion, entre le matériau et la subjectivité constructive, les conditions de sa perdurance et de son renouvellement. À travers les âges, l'empreinte musicale y trouve son équilibre, entre rigidité et fluidité, ouverture et clôture. La capacité de l'identité musicale d'être à la fois tel un arbre aux racines solidement ancrées dans le sol et tel un funambule oscillant entre enracinement séculaire et envolées créatives puise pour ce faire dans la dualité d'une teneur nomade et d'une teneur sédentaire du musical.

La musique est dans son essence transhumance, voyage, pérégrination à travers l'espace, le temps et les êtres. Cette teneur nomade se caractérise dans les musiques du Maghreb, dans le *cercle d'appartenance* des musiques modales et dans les *cercles dialoguants* des traditions méditerranéennes, par la spécificité d'une tradition orale. L'oralité, vecteur de partage plaçant l'humain au cœur de l'acte de transmission, favorise à ce titre la perdurance identitaire mais aussi l'imprégnation, l'apport et l'échange culturel. Parallèlement à sa *teneur nomade*, à sa vocation d'être mobile, le musical procède d'une *teneur sédentaire* permettant l'ancrage d'une identité musicale au sein de l'être, dans le groupe social et sur un territoire. Sans cette double vocation au voyage et à l'ancrage, sans cette double teneur nomade et sédentaire, il n'y aurait pu y avoir de tunisianité musicale pas plus qu'il n'y aurait eu de maghrébinité ou de méditerranéité musicales.

Conclusion

Pour conclure, dans une Tunisie carrefour des civilisations, dans un Maghreb de confluences, dans une Méditerranée berceau et réceptacle des cultures, l'identité musicale puise dans le temps ancestral, s'ancre dans le temps de l'imprégnation, se transmet dans le temps du partage, s'enrichit dans le temps du dialogue et s'actualise dans la temporalité du présent. Ce faisant, elle fait émerger de par l'activité des *cercles d'appartenance*, des *cercles inclusifs* et des *cercles dialoguants*, une sphère d'appropriation du culturel qui se détermine elle-même dans la clôture et l'ouverture des contours de ces cercles. Les *cercles d'appartenance* préétablis définissent cette sphère, les *cercles inclusifs* resserrent sa latitude en établissant la circonférence d'inclusion par le degré d'imprégnation établi, les *cercles dialoguants* de la mouvance réintègrent l'ouverture au sein du spécifique. S'établit ainsi une dialectique de la clôture et de l'ouverture dans la construction continue de l'identité musicale.

Musiquer les cercles d'appartenance dans les liens constructifs entre tunisianité, maghrébinité et méditerranéité, c'est maintenir présente et active cette triade constructive du préalable, de l'inclusif et du mouvant.

Bibliographie

AN-NAWAJI, Šams ad-Dīn Muḥammad Ibn Ḥasan, 1999, *'Uqūd al-la'ālī fī al-muwaššaḥāt wa al-azjāl* [Colliers de perles dans les *muwaššaḥāt* et les *azjāl*], transcription et commentaire Aḥmad Muḥammad 'Aṭā, Le Caire, Maktabat al-ādāb.

'AṬA, Aḥmad Muḥammad, 1999, *Dirāsa fī fannay al-muwaššaḥāt wa al-azjāl* [Étude de l'art des *muwaššaḥāt* et des *azjāl*], Le Caire, Maktabat al-ādāb.

BIN 'ABD AL-JALĪL, 'Abd al-'Azīz, 1988, *al-Mūsīqā al-andalusiyya al-maġribiyya* [La musique andalouse du Maghreb], coll. « *'Ālam al-ma'rifa* », Koweït, al-Majlis al-waṭanī li-ṯaqāfa wa al-funūn wa al-ādāb.

BIN YUSUF, 'Abd al-'Azīz, 1984, « Ḵawāṭir ḥawl al-muwaššaḥāt al-andalusiyya» [Réflexions à propos des *muwaššaḥāt* andalous], *in Multaqā Ḵmayyis at-Tarnān : al-intāj al-mūsīqī al-'arabī qadīman wa ḥadīṯan* [Les rencontres de *Ḵmayyis Tarnān* : la production musicale arabe passée et présente], Tunis, ad-Dār at-tūnisiyya li-n-našr, p. 129-144.

COLL. D'AUTEURS, Recueil des Travaux du Congrès de Musique Arabe qui s'est tenu au Caire en 1932 (Hég. 1350) sous le haut patronage de S. M. Fouad 1er, Roi d'Egypte, 1934, Le Caire, Imprimerie Nationale.

EL MAHDI, Salah, s. d., « La nawbah », *in Patrimoine musical tunisien : la nawbah dans le Maghreb arabe, nawbet edhil tunisienne*, 3e fascicule, Conservatoire National de Musique et de Danse, Tunis, p. 7-9.

ERLANGER, Baron Rodolphe d', 1949, *La musique arabe*, tome 5 : *Essai de codification des règles usuelles de la musique arabe moderne : échelle générale des sons, système modal*, Paris, Librairie Orientaliste Paul Geuthner.

ERLANGER, Baron Rodolphe d', 1959, *La musique arabe*, tome 6 : *Essai de codification des règles usuelles de la musique arabe moderne (suite) : système rythmique, formes de composition*, Paris, Librairie Orientaliste Paul Geuthner.

GUETTAT, Mahmoud, 2000, *La musique arabo-andalouse : l'empreinte du Maghreb*, tome 1, Paris/ Montréal, Éditions Fleurs Sociales/Éditions El-Ouns.

SNOUSSI, Mannoubi , 2004, *Initiation à la musique tunisienne*, vol. 1 : *Musique classique*, document établi par Mourad Sakli, Rachid Sellami et Lassaad Kriaa, Tunis, Centre des musiques arabes et méditerranéennes *Ennejma Ezzahra.*

TOUMA, Habib Hassan, 1996, *La musique arabe*, trad. fr. Christine Hétier, Paris, Éditions Buchet/Chastel, coll. « Les traditions musicales de l'Institut International d'Études Comparatives de la Musique ».

ZGHONDA, Fathi, s. d., « *Al-Ma'zūfāt at-taqlīdiyya fī al-mūsīqā al-'arabiyya al-mu'āṣira* » [Les pièces instrumentales traditionnelles dans la musique arabe contemporaine], *in Našriyyat al-ma'zūfāt at-tūnisiyya al-mulaḥḥana fī aškāl taqlīdiyya* [Bulletin des pièces instrumentales tunisiennes composées dans des formes classiques], Tunis, Ministère des affaires culturelles/Direction de la musique et des arts populaires, p. 6-13.

ZINELABIDINE, Mohamed, 1995, *Contribution à l'étude des théories et conceptions esthétiques musicales arabo-musulmanes au Moyen-âge (du VIIe siècle au XIIIe siècle)*, Thèse de doctorat, Université Paris-Sorbonne (Paris IV).

Rives euro-méditerranéennes et entrelacs musicologiques : la francophonie et l'apport de l'Autre

Fériel BOUHADIBA*

Si dans l'espace méditerranéen la musique constitue une passerelle entre les êtres et entre les rives euro-méditerranéennes, la musicologie n'en porte pas moins les avantages d'une source d'échange et de partage. C'est à ce titre que dans la fabrique de la théorie musicologique comme dans la « fabrique du beau », pour reprendre là l'expression de Roger Vigouroux (1992), et nonobstant l'objectivité que nécessite tout travail scientifique, l'humain ne peut être tenu à l'écart des considérations qui y abondent. Tout au long de l'histoire de la musicologie, les qualités humaines des acteurs de la construction musicologique tissent pour une part importante les mailles d'une trame d'échange et de savoir. La prosopographie constitue en ce sens une voie d'accès à la mise en exergue de ce parcours humain qui préside à la construction d'un savoir à travers les contrées et les cultures et ce notamment dans l'espace euro-méditerranéen.

À l'antipode du cloisonnement, la musicologie est l'entité qui dans le tout des sciences humaines dit peut-être le mieux, de par son objet musical, la richesse et la diversité de l'Autre. L'altérité dans son rapport au dedans et au dehors, à l'être et à la projection de l'être, dans le soi et dans l'autre, en constitue un élément fondamental. Aborder dans une approche prosopographique les parcours de personnalités ayant influencé le monde musicologique, c'est donc aussi opérer une étude de l'altérité à travers l'observation de leur vécu social et musicologique. Par l'étude de l'autre mais

* Docteure en Arts et Sciences de l'Art de l'Université Paris 1 – Panthéon-Sorbonne, musicologue, Enseignante à l'Institut Supérieur de Musique de Tunis et à la Faculté des Sciences Humaines et Sociales de Tunis. Membre du Laboratoire de Recherche en Culture, Nouvelles technologies et Développement (Université de Tunis), chercheure associée au Centre de Recherche sur les Traditions musicales (Université Antonine, Liban). feriel_bh@yahoo.fr.

aussi de l'autre dans cet autre, la résultante collective des entrelacs de parcours individuels dialoguant les uns avec les autres, se nourrissant de l'apport de l'autre, apparaît comme une superposition d'altérités. Le croisement de l'espace musicologique, de l'espace méditerranéen et de l'espace francophone constitue sur ce plan un terrain fertile pour la mise en exergue d'une altérité féconde. Nous l'aborderons en prenant la naissance de la musicologie en Tunisie comme point de jonction entre ces trois espaces. Ce point de jonction fait apparaître trois corrélations faisant dialoguer ipséité et altérité et reliant par la construction musicologique espace francophone et filiation transfrontalière, altérité et *soi collectif* et enfin temporalité synergétique et atemporalité musicologique.

1. Espace francophone et filiation transfrontalière : une autre oralité/auralité musicologique

Dans la diversité des constituants du monde méditerranéen et dans la singularité de chaque culture, l'espace francophone a rendu possible l'extension d'une filiation transfrontalière.

La musicologie a largement bénéficié de cet espace ajoutant à l'oralité de la transmission musicale, une autre oralité, une oralité musicologique. Cette oralité est celle de l'échange verbal, celle aussi de l'écoute de la voix de l'autre à travers ses écrits, celle de la potentialité de rencontre que permet le partage d'une même langue. La musicologie institutionnelle en Tunisie est née de ce partage verbal. La personnalité de Mahmoud Guettat, fondateur de l'Institut Supérieur de Musique de Tunis, y joue un rôle central. Le parcours musicologique de Mahmoud Guettat se place au cœur du partage linguistique. Après l'obtention du diplôme de musique arabe à Tunis en 1966 et au terme de ses études secondaires, Mahmoud Guettat poursuit ses études universitaires en France où il entame une maîtrise en langue arabe qu'il obtient en 1972 avec un sujet de mémoire ayant pour thème de recherche l'étude de la société égyptienne au regard de sa musique, de Mohamed Ali à Jamal Abd an-Nacer. Il poursuit également un cursus en musicologie parallèlement à ses études en langue arabe. Dans cette belle image d'un espace francophone en terre tunisienne rencontrant la langue arabe en terre française se matérialise un premier pas vers la musicologie, favorisé par la connaissance et la reconnaissance mutuelle des cultures linguistiques entre les deux rives. La connaissance de la langue du pays d'accueil par ce quêteur de savoir venu de la rive sud et la reconnaissance de la culture de la rive sud de l'autre côté de la méditerranée témoignent du rayonnement scientifique que peut initier le partage linguistique. La pratique de la langue française en Tunisie a ainsi permis à Mahmoud Guettat d'avoir les compétences linguistiques nécessaires à l'acquisition des connaissances musicologiques durant son cursus universitaire jusqu'à l'obtention de son doctorat en musicologie de l'Université Paris Sorbonne en 1977 sous l'intitulé *La musique andalouse et ses prolongements contemporains au Maghreb*. De retour en Tunisie, sa formation académique lui permettra de fonder en 1982 l'Institut Supérieur de Musique de Tunis qu'il dirigera de 1982 à 1998. L'enseignement bilingue arabe/français y consacre la fusion d'une circulation du savoir musicologique et d'un partage linguistique dans l'espace francophone.

De par l'implication de la langue française dans le cursus du fondateur de l'Institut Supérieur de Musique de Tunis en tant que langue de communication et d'apprentissage, cette instauration d'un établissement universitaire dédié au développement du savoir musicologique en Tunisie se trouve fortement liée à la présence préalable d'un contexte favorable à une formation bilingue en Tunisie. Ce contexte est issu d'une volonté politique qui, comme l'a souligné le Président Habib Bourguiba dans son discours du 11 mai 1968, prononcé à Montréal, précède la période du protectorat français :

> *« La langue française est celle que nous [les Tunisiens] avons choisie, presque à égalité avec notre langue maternelle, comme langue de culture, de travail et de rencontre [...]. Il est [...] de mon devoir d'évoquer, à ce propos, le souvenir de notre grand Premier Ministre Kheireddine. [...] c'est lui qui, le premier, a introduit le français dans l'établissement scolaire qu'il a créé, ce Collège Sadiki auquel tant de mes compagnons de lutte, comme moi-même, après bien d'autres devanciers, sont en grande partie redevables de ce qu'ils sont devenus et de ce qu'ils ont accompli pour le salut politique et pour le devenir culturel de la Tunisie. Kheireddine, ce fut l'une des lumières offertes à la Tunisie deux décennies avant l'établissement du protectorat. Je peux bien dire que, dès cette époque et en dépit du jeu d'influences diverses qui s'exerçaient alors sur notre pays, l'intelligentsia tunisienne avait déjà opté pour la langue française et pour une culture ouverte sur le monde moderne » (Bourguiba, 1968).*

Cette ouverture sur l'autre à travers la connaissance de sa langue n'a aucunement été freinée par le protectorat ; en attestent les propos d'Habib Bourguiba qui mena la Tunisie vers son indépendance sans faire l'amalgame entre la ponctualité d'une période de colonisation et l'atemporalité de la culture et de la liberté. Il s'exprima ainsi en ces termes :

> *« Il ne me semble pas, tout au long des soixante-quinze ans qu'il [le protectorat français] a duré, que la langue française soit apparue comme l'instrument de la domination qu'il nous fallait subir. Pourquoi ? Sans doute parce que c'est une des langues du monde par laquelle s'enseignent le mieux les philosophies de la liberté [...]. Langue des philosophies de la liberté, le français allait constituer en outre pour nous, un puissant moyen de contestation et de rencontre » (Bourguiba, 1968).*

Rencontre, ce terme employé sept fois dans ce discours de 1968 par le Président tunisien Habib Bourguiba, père fondateur de la francophonie institutionnelle auprès du Président sénégalais Léopold Sédar Senghor, du Président nigérien Hamani Diori et du Prince cambodgien Norodom Sihanouk, deux ans avant la signature le 20 mars 1970 de la convention portant création de l'Agence de Coopération Culturelle et Technique, actuelle Organisation Internationale de la Francophonie, appuie l'idée que la francophonie est une question de rencontre ; une rencontre avec l'autre – mais aussi avec soi car voie d'expression d'une pensée profonde – qui donna lieu à bien des rayonnements notamment musicologiques.

La création d'une institution musicologique en Tunisie se révèle ainsi comme étant une filiation transfrontalière – consciente ou inconsciente – avec l'ensemble des personnes qui ont favorisé la circulation du savoir dans l'espace francophone par l'entremise de cet « outil merveilleux », comme l'appelait Senghor, qu'est la langue française.

Par les parcours individuels qui ont précédé la création de l'Institut Supérieur de Musique de Tunis et par les parcours individuels auxquels cet établissement universitaire a donné lieu, la musicologie participe à une construction collective dans laquelle l'altérité se fait le levier d'épanouissement d'un *soi collectif*.

2. De l'altérité au *soi collectif* dans la construction musicologique

La francophonie institutionnelle que nous venons d'évoquer a été précédée d'une francophonie associative initiée par l'association des écrivains de langue française en 1926 (ADELF), suivie de celle des journalistes en 1950 et de celle des radios en 1955. Suivra l'association des universités francophones ou partiellement francophones en 1961, actuelle Agence Universitaire de la francophonie. Ce partage au sein de la collectivité et cette philosophie du rapport à l'autre dans la construction d'un projet commun, trouvent un répondant dans les échanges francophones qu'a impliqué la construction musicologique en Tunisie et dans l'émergence d'un *soi collectif* par l'entremise de cette construction.

Le développement de la musicologie en Tunisie a été marqué par des étapes décisives dont l'instauration de l'Institut Supérieur de Musique de Tunis puis le développement de la recherche au sein de cet établissement et bien avant cela la constitution par le baron Rodolphe d'Erlanger d'un groupe de recherche musicologique affilié au palais Ennejma Ezzahra. Ces deux travaux d'envergure, à savoir l'institutionnalisation de la musicologie et la production d'un ouvrage de référence portant sur la musique arabe, ont nécessité la conjugaison des efforts de nombreux chercheurs, ont impliqué de nombreux échanges francophones et ont eu un impact important sur le développement d'une musicologie relative à la musique arabe. L'importance du travail fourni et la portée de sa résultante ont en quelque sorte relégué au second plan l'ipséité des acteurs de leur réalisation. Ce qui a émergé, c'est en effet l'œuvre en tant que projet, en tant que produit social ou en tant que résultante. La multiplicité des acteurs ayant œuvré au développement de l'enseignement et de la recherche musicologiques dans le cadre de l'Institut Supérieur de Musique de Tunis se fond de ce fait dans l'identité de l'institution en tant que personnalité morale, de même que les acteurs de la recherche musicologique au palais du baron d'Erlanger se sont fondues derrière la personne du baron d'Erlanger mentionné comme auteur de l'ouvrage *La musique arabe*. Dans les deux cas et indépendamment de la question morale de l'élusion des participants à la réalisation de l'ouvrage *La musique arabe*, les acteurs de l'avancée musicologique en tant qu'individualités disparates se voient sublimés en un *soi collectif*, celui d'une action ambitionnant la réalisation collective d'un projet commun. Se consacrer à une cause collective, cette mise en avant du projet collectif, cette projection de soi en un *soi collectif* acteur d'une cause commune apparaît dans les propos de Mahmoud Guettat :

> *« J'ai souffert de ce manque de savoir visible. Présenter en langue française, une matière dense et variée pour placer la musique au cœur universitaire…… Il y a quelques années, des parents trouvaient inacceptable l'enseignement de la musique, depuis, les mentalités ont changé grâce au travail de nos chercheurs. Ils sont de plus en plus nombreux à vouloir inscrire leurs enfants » (Guettat in Hebbadj, 2012).*

Dans les nombreux entretiens que j'ai eu avec Mohamed Zinelabidine, le souci de rendre à la musique ses lettres de noblesse a souvent été présent et en ses propos portant sur la musique et les valeurs de partage que porte l'art, je pense retrouver aussi son projet musicologique, celui de stimuler le partage musicologique et de redonner par là même à la musique, par la science, le statut social qui lui revient :

> *« Comment partager la différence ? L'art, cette aventure, lourde de conséquences, l'est à certains égards. Une quête de soi à travers l'autre. Cet autre à la fois semblable et distinct. Une valorisation de la différence, telle qu'elle est richesse humaine qui ne chercherait pas à brasser, fusionner des champs d'aptitude et d'expression. Mais de chercher peut-être à cristalliser une meilleure mise en exergue de la richesse, telle qu'elle est au sentir propre de chacun d'entre-nous » (Zinelabidine, 2006, p. 126).*

Ce vaste projet d'épanouissement du musical par la recherche musicologique apparaît également dans les propos d'Alexandre Chalfoun, fondateur de la première revue du monde arabe dédiée à la musique et dont l'objectif mentionné dans l'éditorial du premier numéro concerne l'étude des dimensions artistique, esthétique, expressive et scientifique du musical[1]. Ses propos nous sont parvenus de par l'espace de communication qu'a permis le partage de la langue française et de par les échanges entre rives méditerranéennes qu'a impliqué la recherche musicologique au palais du baron d'Erlanger. Ainsi Alexandre Chalfoun écrit-il à propos de sa quête musicale, du dépassement de soi pour un progrès collectif et de l'impact de la dimension sociale sur le projet musical, dans une lettre adressée au baron Rodolphe d'Erlanger en date du 10 juillet 1923 :

> *« Combien d'excellents et précieux projets j'ai en tête, mais, malheureusement pour l'art, je n'ai pu mettre en exécution que les moins importants. L'Orient, Monsieur le Baron, qui brille sous son grand soleil, est inondé, hélas, dans l'obscurité de l'ignorance […]. J'ai vu l'art musical en décadence ; j'ai vu son temple sacré en ruines ; je l'ai vu chancelant et cheminant vers la dégradation. J'ai eu le courage de sacrifier un poste de chef de bureau au Ministère des Travaux publics pour me consacrer au service de l'art musical, favoriser son progrès et travailler à son relèvement : efforts inutiles et vains sacrifices. Depuis dix ans je ne fais que subir des pertes énormes qui m'ont exténué. La troisième année de ma Revue "Rawdat al-Balabel" vient d'expirer réalisant une perte de livres égyptiennes*

---

[1] Voir à propos de la revue *Rawḍat al-Balabel* : Poché, 1994.

> *150, au lieu de me rapporter quelques deniers récompensant mon dévouement et mes efforts. Trois années d'énergie et de sacrifices n'ont enregistré que des regrets. Malgré toutes ces adversités, malgré l'absence d'aide et de soutien, malgré le manque complet d'encouragement, malgré le fanatisme qui ruine l'Orient et qui est la cause principale d'extinction des énergies les plus fortes et des génies les plus brillants, j'en suis là, constant, inébranlable et porte un cœur fort plein de courage !* »

L'altérité au service d'un *soi collectif* porteur d'un projet musicologique commun apparaît en outre dans les propos de Mannoubi Snoussi, compagnon de route du baron d'Erlanger dans son entreprise musicologique et qui n'aspirait même pas à voir son nom inscrit sur cette œuvre faisant abstention de son individualité dans la construction collective. Ainsi écrit-il dans une lettre adressée à Léo d'Erlanger, fils du baron Rodolphe d'Erlanger :

> *« C'est cette documentation contrôlée selon des méthodes scientifiques qui m'avait permis de composer après la mort de mon regretté maître le cinquième volume de notre ouvrage actuellement sous presse et dont la publication avait été interrompue par la guerre. Lorsque ce volume sortira des presses un nouveau [champ] d'investigation sera ouvert pour les savants d'occident et de nouveaux moyens d'expression seront mis à la disposition des compositeurs d'Europe et d'Amérique. Quant aux arabes, ils auront pour la première fois depuis cinq siècles, un traité où les règles de leur art national seront exposées selon méthode didactique et à l'aide d'une terminologie musicale qui leur permettra de discuter et d'écrire sur les diverses questions qui intéressent cet art [...]. Ma première pensée à la suite de ce coup du sort [le décès du baron Rodolphe d'Erlanger] fut pour l'œuvre dont notre cher disparu m'avait inculqué la passion. Je redoutais fort une interruption possible de cette œuvre que je ne saurais continuer par mes propres moyens. L'idée de ce risque occupait seule ma pensée au détriment de mes intérêts personnels immédiats* ».

Sublimant un *soi collectif* au service d'une construction musicologique, cette humilité de Mannoubi Snoussi est d'ailleurs mentionnée par Christian Poché dans la présentation de la réédition en 2001 de l'ouvrage en six tomes *La musique arabe* :

> *« C'est grâce à Manoubi Snoussi que cette œuvre gigantesque a pu arriver à terme après 29 ans de gestation. Il a joué un rôle essentiel dans l'élaboration et la coordination des différents tomes de La Musique arabe. L'éditeur Paul Geuthner devait en être conscient puisqu'il imprime à son intention et afin de le remercier, un exemplaire spécial portant en première page, la mention "à Manoubi Snoussi". Comme il semble être l'auteur de la série de biographies des différents contributeurs, publiée en appendice III du tome V, le fait qu'il n'y figure pas doit être considéré comme un signe d'humilité » (Poché, 2001, p. 29).*

Dans l'ensemble de ces propos : de Mahmoud Guettat et de Mohamed Zinelabidine, et bien avant eux d'Alexandre Chalfoun et de Mannoubi Snoussi, qu'il s'agisse de l'institutionnalisation de l'enseignement musicologique, du développement de la recherche ou de l'élaboration collective d'un ouvrage de référence, l'enjeu est dans la résultante de l'action, dans ce qui se construit, dans la réalisation de l'événement. Si la mise en avant de l'événement confère au *quoi ?*, comme l'a exprimé Paul Ricœur, une « orientation [...] qui contient en puissance l'effacement jusqu'à l'occultation de la question *qui ?* » (Ricœur, 1990, p. 78) et que « les réponses à la question *quoi ?* (quelle action a été faite ?) sont soumises à une catégorie ontologique exclusive par principe de celle de l'ipséité : à savoir l'évènement en général, le "quelque chose qui arrive" » (Ricœur, 1990, p. 78), c'est en retournant vers les conditions humaines de réalisation de l'évènement musicologique que réapparaissent en sous-jacence les rapports constructeurs entre ipséité et altérité. Ces échanges hissent la pensée musicologique dans une atemporalité constructive fruit du temps synergétique de la somme des rencontres.

3. Temporalité synergétique/atemporalité musicologique

Dans l'espace-temps de la rencontre, dans cette rencontre entre ipséité et altérité, entre ce qui en chacun fait l'unicité et l'aspiration au partage et au dialogue, émerge une temporalité synergétique, celle condensant les potentialités de chacun dans une voie constructive. La rencontre des individualités autour de l'espace musicologique, de l'espace francophone et de l'espace méditerranéen a permis de fédérer les efforts, à la fois dans le parcours individuel de chacun et dans le cheminement collectif des chercheurs, des institutions et des sociétés. En émane une construction hissée dans l'atemporalité musicologique, celle du syncrétisme des rencontres, de la filiation, du dialogue intragénérationnel et intergénérationnel, du dialogue intrasocial et intersocial, voguant au-dessus du temps à la fois dans l'acte, dans ce qui le précède et dans sa projection.

Tous autant que nous sommes, sommes le fruit de la rencontre et la construction musicologique l'est au même titre. Il est à ce titre étonnant de réaliser lorsque l'on y pense, à quel point toute construction dépend de l'autre. Y aurait-il eu un Institut Supérieur de Musique à Tunis sans la volonté et les efforts de Mahmoud Guettat qui s'expatria en France pour se former à la musicologie ? Mais encore Mahmoud Guettat aurait-il eu le même parcours sans sa rencontre avec Tran Van Khê qui le conseilla ? Y aurait-t-il eu un Laboratoire de recherche en cultures et nouvelles technologies, le CUNTIC, pôle central de recherche musicologique à Tunis sans l'unité de recherche *Interart, transcréation et musique* qui constitua son noyau fondateur initié par Mohamed Zinelabidine en partenariat avec l'Université Paris I-Panthéon Sorbonne/CNRS (Zinelabidine, 2006, p. 5) à l'Institut Supérieur de Musique de Sousse, dont il a été le premier directeur ? Mais y aurait-il eu un institut de musique à Sousse sans les personnes qui crurent en ce projet ? Enfin, Mohamed Zinelabidine aurait-il eu le potentiel constructif et fédérateur nécessaire à la réussite de ce projet sans les valeurs de partage transmises par un environnement familial amoureux de musique, de poésie et d'art, préservées dans ses souvenirs de jeunesse bercés de rencontres familiales autour de l'art du chant et du verbe, nourries de sa cogitation intérieure observant la musique, l'art, la science, soi et l'autre, exaltées dans les rencontres parisiennes d'un parcours universitaire et dans les rencontres collégiales et amicales, notamment dans l'entente humaine et intellectuelle qui le lie à Costin Miereanu et qui a permis la mise en place de nombreux projets et partenariats particulièrement fructueux dont il dira lui-même :

> *« Depuis 2001, Costin Miereanu a été très présent à l'édification d'un projet musicologique national en Tunisie. Il a d'abord co-organisé de nombreux Congrès, Colloques, Séminaires et Ateliers de création, comptés en dizaines. Il a ensuite enseigné [...] à l'Institut Supérieur de Musique de Sousse [... et] de Tunis. Son implication a été manifeste dans les ouvrages co-édités entre les instituts précités, l'Unité de Recherche en Interart, Transcréation et Musique et le Laboratoire de Recherche en Culture, Ntic et Développement où ensemble nous avons mené des actions nombreuses tout au long de la décennie 2001-2011, en partenariat avec l'Institut d'Esthétique, des Arts et Technologies qu'il a dirigé à Paris I-Panthéon Sorbonne/CNRS [...]. Au-delà de l'amitié et de la grande sincérité qui l'ont toujours animé, j'ai pu constater l'érudition, le savoir-faire, le sérieux, l'intelligence et la courtoisie de quelqu'un toujours porté par le beau, le bien et le meilleur. C'est bien ce qui définit Costin, [...] c'est de ne jamais faillir à l'humain et à l'humaniste qui l'habitent jusqu'à l'obsession. Un artiste vrai quêtant ce qui valorise le temps et la vie... ». (Zinelabidine, 2013)*

Nous ne pouvons qu'appuyer ce témoignage relatif aux hautes qualités intellectuelles et humaines de Costin Miereanu et mettre l'accent sur l'importance de ces qualités et de ces valeurs de partage qui, lorsqu'elles se trouvent impliquées de part et d'autre d'un projet collectif, comme elles l'ont été dans les projets de l'Institut d'Esthétique, des Arts et Technologies dirigé par Costin Miereanu et affilié à l'Université Paris I-Panthéon Sorbonne et de l'Institut Supérieur de Musique de Sousse puis de Tunis sous le direction de Mohamed Zinelabidine, jouent un rôle de catalyseur dans l'élaboration de projets constructifs portant étudiants et chercheurs des deux rives vers des cheminements de recherche et de partage.

Cette condensation des efforts dans la temporalité synergétique d'une construction musicologique fait intervenir une communication entre des sphères d'appartenance territoriales, filiales, académiques, ou encore entre cercles du proche et du lointain pour reprendre là la terminologie de Balandier (1977). Elle fait ainsi dialoguer une temporalité tripartite par le partage d'une expressivité francophone en impliquant une rencontre des pensées, des générations, des individualités et permet une infiltration du facteur humain catalyseur – et parfois inhibant aussi – de la construction musicologique. En témoigne cette recherche du face à face et de l'instauration de la confiance dans les propos du baron d'Erlanger inscrits dans une lettre adressée à Mustapha Beyram en Alexandrie en date du 22 septembre 1924 et lui demandant de rencontrer Alexandre Chalfoun afin de juger de sa personne et de lui dire s'il pouvait lui faire confiance pour une collaboration musicologique.

Conclusion

Nous conclurons par ces propos de Paul Ricœur : « lorsque la rencontre est une confrontation d'impulsions créatrices, une confrontation d'élans, elle est elle-même créatrice » (Ricœur, 1964, p. 336). La francophonie a permis de créer cet espace de confrontation des élans, l'espace méditerranéen l'a accueilli, les musicologues l'ont nourri. Entre les rives méditerranéennes, cet espace est à enrichir dans les entrelacs de la rencontre de soi et de l'autre.

Bibliographie

BALANDIER, Georges, 1977, *Histoire d'autres*, Paris, éd. Stock.

BOURGUIBA, Habib, 1968, « Une double ouverture au monde », disponible en ligne sur file:///C:/Users/user/Desktop/Bibliothèque/Articles/Discours%20Bourguiba.pdf

GUETTAT, Mahmoud, 2000, *La musique arabo-andalouse : l'empreinte du Maghreb*, Paris/Montréal, El-Ouns/Fleurs sociales.

HEBBADJ, Fadela, 2012, « Mahmoud Guettat : bâtisseur de mémoire », Médiapart, journal électronique du 08 octobre 2012, disponible en ligne sur https://blogs.mediapart.fr/fadela-hebbadj/blog/081012/mahmoud-guettat-un-batisseur-de-memoire.

POCHE, Christian, 1994, « De l'homme parfait à l'expressivité musicale : courants esthétiques arabes au XXe siècle » *in Cahiers d'ethnomusicologie*, n°7.

POCHE, Christian, 2001, présentation de *La musique arabe*, deuxième édition, Paris, Librairie Orientaliste Paul Geuthner.

RICŒUR, Paul, 1964, *Histoire et vérité*, Paris, Seuil.

RICŒUR, Paul, 1990, *Soi-même comme un autre*, Paris, éditions du Seuil.

VIGOUROUX, Roger, 1992, *La fabrique du beau*, Paris, Odile Jacob

ZINELABIDINE, Mohamed, 2006, « Parole d'artiste », *in* Collectif, *Parole d'artiste*, Tunis, Cuntic.

ZINELABIDINE, Mohamed, 2013, « Composition et tradition orale » *in Espaces multiples*, colloque international en hommage à Costin Miereanu pour ses soixante-dix ans, CDMC, Paris, le 23 novembre 2013.

Le *mālūf* tunisien : origines et mutations

Yassine GUETTAT *

À l'image de la Tunisie, à la fois africaine et méditerranéenne, l'art musical tunisien constitue un ensemble complexe de répertoires, de genres et de styles, dont la classification systématique n'est pas sans difficulté, du fait de leurs interférences. De cette riche diversité, se distingue une sorte d'unité véhiculée par un art citadin structuré, cristallisé au cours des siècles. Ce patrimoine musical représente actuellement, le répertoire classique tunisien appelé « *mālūf* ».

1. Problématique d'appellation et d'origine

Comme c'est le cas pour les autres répertoires des *nūbas* maghrébines, il s'est installé autour du *mālūf* tunisien depuis le début du siècle dernier, une curieuse théorie hypothétique, voire fantaisiste et nostalgique. Cette théorie consiste à considérer ce répertoire comme « un héritage exclusivement andalou » et qualifié improprement de « *musique andalouse* »[1]. Appellation suivie d'une série d'affirmations erronées, telles, entre autres, qu'il existerait « *quatre écoles maghrébines, chacune héritière d'une école andalouse* » : Tunis de Séville (Xe-XIIe s.), Tlemcen de Cordoue (XIIe s.), Fès de Valence (XIIe s.) et de Grenade (XVe s.), Tétouan de Grenade (XVe s.). D'autres ajoutent : Tripoli de Séville et de Cordoue (!?) (Chottin, 1938, p. 93-94 ; Erlanger, 1959, p. 188-189 ; Marrou, 1971, p. 128) ; qu'il y avait à l'origine « *vingt-quatre nūbas andalouses complètes* » et qu'une bonne partie, voire des *nûbas* entières, « *ont été perdues à cause de la défaillance de l'oralité maghrébine* » (Jargy, 1988, p. 99 ; Shiloah, 1995, p. 192-195). D'autres vont jusqu'à affirmer qu'« *on retrouve jusqu'à aujourd'hui en Afrique du Nord la nouba andalouse telle qu'elle existait du temps de Ziryāb* » (Touma, 1996, p. 76-77).

* Violoniste, technicien du son diplômé de la SAE Institute Paris (2010) et docteur en musicologie de l'Université Paris IV-Sorbonne (2015). Maître-assistant à l'Institut Supérieur de Musique de Sousse.

[1] Appellation dont on ne trouve nulle trace chez les anciens auteurs maghrébins qui emploient plutôt, une terminologie locale (*mālūf, ṣan'a, ġarnāṭī, āla, ṭarab, fann*). D'autres qualificatifs ont été avancés : musique arabe et maure, arabe de tradition andalouse, hispano-arabe, andalou-maghrébine, et dernièrement, musique « savante » ou encore « classique ». Voir pour les détails, Guettat, 2000, p. 12-13. y.guettat85@gmail.com.

Ces suppositions, et bien d'autres encore, ont été réfutées magistralement par d'importantes recherches menées depuis quelques années, tant sur le plan historique, sociologique que musicologique[2]. Elles ont réussi à apporter des clarifications probantes mettant en évidence, d'une part, l'originalité des *nūbas* maghrébines, notamment celles du *mālūf* tunisien ; d'autre part, leurs caractères dynamiques et évolutifs à travers l'histoire ; plus particulièrement, depuis le tournant décisif que le *mālūf* connut vers le XVIIIe siècle, jusqu'à la période contemporaine. Armé et encouragé par ces acquis, nous avons pu nous même en être convaincu grâce à nos propres recherches effectuées sur le sujet (Guettat, 2009).

2. Originalité et mutation

Contrairement aux idées reçues évoquées dans notre introduction, il est démontré (Guettat, 2000) que la musique classique maghrébine, notamment le *mālūf* tunisien, n'est nullement un simple « héritage andalou », mais un art raffiné dont les fondements se réfèrent à la « Grande Tradition musicale » élaborée et cultivée au sein de la civilisation arabo-musulmane. Celle-ci, qui atteignit son âge d'or à Bagdad durant le règne abbasside (750-1253), se propagea depuis le VIIIe siècle dans les différents centres culturels du monde islamique, où, en se mêlant au substrat local et régional, elle donna lieu à un art original, comme ce fut le cas avec l'école dite maghrébo-andalouse. Le tableau n° 1 résume cette évolution connue pour le chant de la *nūba*, tant au *Mašriq* qu'au Maghreb.

Tableau n° 1 : tableau comparatif *: la nūba* traditionnelle comparatif (origine et développement au Mashreq - Maghreb)

Origine	Développement (IV- IX/X- XVe s.)				Observations
Baghdad (II-IV /VIII-Xe s.)	Orient		Andalousie – Maghreb		
	Influence irano-turco mongole (XI - XIII)		Ziryāb (IX)	Ibn Bāja (XII)	
Našīd (*našīd al-'Arab*)	*Qawl*	*Qawl*	*Našīd*	*Našīd / istihlāl*	Récitatif modulé de rythme libre
Basīṭ (chant élaboré)	*Ġazal Tarāna*	*Ġazal Tarāna Furūdašt*	*Basīt Muḫarra-kāt/Ahzāj*	*'Amal / (Istihlāl) Muḫarrakāt/ (Mur-qiṣāt) Muwaššaḥāt / Azjāl* (poèmes légers)	Chants rythmés de mouvement allant du lent au vif léger
		Ibn Ġaybī (XIV)		Tīfāšī (XIII)	
		Qawl *Ġazal* *Tarāna* *Mustazād* *Furūdašt*		*Našīd / istihlāl* *Ṣawt - 'Amal* *Muḫarrakāt* *Muwaššaḥ - Zajal* (poèmes légers) + danse	

[2] C'est le cas des travaux de Muhammad al-Fāsī et plus particulièrement de Mahmoud Guettat.

Vers la fin du XVIe et surtout au XVIIe siècle, des écrits, maghrébins pour la plupart[3], commencent à paraître, fournissant des données de plus en plus précises faisant état de profondes mutations subies par le répertoire des *nūbas* propre à chacun des pays maghrébins. Pour le *mālūf* tunisien, c'est surtout à partir du XVIIIe siècle que son répertoire apparaît avec le profil qu'on lui connaît aujourd'hui. Suite au remaniement dont il fera l'objet sous l'instigation de Muḥammad al-Rašīd (1711-1759), ce répertoire entame une phase nouvelle.

Mélomane averti, ce troisième bey ḥusaynite renoua les liens musicaux entre les écoles de Tunis et de Constantine et s'employa selon la chronique, grâce à la contribution et au talent d'une élite d'artistes, poètes et musiciens, « à la restructuration des *nūbas* en arrangeant leurs différentes parties vocales et instrumentales tout en ajoutant d'autres pièces d'inspiration turque, comme le *bašraf*, le *bašraf samā'ī* et le *šanbar* (ouvertures instrumentales) »[4].

Les mutations connues d'ailleurs par l'ensemble des *nūbas* maghrébines, peuvent se résumer comme suit :

- un concept du *ṭab'* (mode) plus précis ; des noms propres aux différents *ṭubū'* utilisés dans chaque répertoire ; l'appellation de chaque *nūba* par son *ṭab'* principal sur lequel elle est édifiée.
- une nouvelle terminologie spécifique aux *mayāzīn* / *mawāzīn* (rythmes) et aux cycles vocaux dont se constitue la *nūba.*
- un nouveau développement des différents mouvements de la *nūba*, avec un nombre plus consistant de *ṣanāyi'* (plur. de *ṣan'a*/pièces vocales et instrumentales).

Ces nouvelles données, morphologiques et syntaxiques, soulignent sans équivoque une fois de plus, l'ampleur de l'élément local et son impact sur l'originalité de chacune de ces traditions musicales.

3. Témoignages écrits

Basée essentiellement sur la transmission orale, la tradition musicale connut de nombreux recueils dont les plus anciens remontent au XVIIIe siècle. Ils nous sont parvenus sous forme de « *safīna* », « *kunāaš* » ou « *majmū'* » et concernent dans leur majorité, plus particulièrement le corpus poétique des différents répertoires. Ainsi, le *mālūf* tunisien dans ses versions profane (*al-hazil*) et sacrée (*al-jidd*) ou mélangeant les deux, connut une floraison de recueils d'inégale importance. Parmi les plus représentatifs et complets, nous retiendrons ici quatre recueils provenant de la même période. Ils sont d'un intérêt particulier concernant la vie musicale en Tunisie (Guettat, 2004) :

---

[3] Il s'agit de poèmes ou de recueils des textes chantés des *nūbas* (*kunnāš* / *safīnat* ou *majmū'*). S'agissant d'une musique basée essentiellement sur la transmission orale et n'utilisant presque pas de sémiographie, cette documentation est d'un réel intérêt pour la pratique musicale ; certains documents comportent des données d'ordre théorique.

[4] C'est pour cette raison, que le nom de ce bey fut donné à la *Rašīdiyya*, association musicale tunisienne créée en novembre 1934, après le premier congrès de musique arabe (le Caire 1932) ('Abd al-Wahhāb, 1965, p. 243-245 ; Guettat, 2000, p. 302-305 ; Guettat, 1994, p. 463-464).

❖ Le *Dīwān* du Cheikh Abī al-Ḥasan al-Karrāy (1617-1695) comporte le corpus des treize *nūbas* du *mālūf* tunisien (classées selon l'ordre traditionnel), ainsi que deux autres appartenant à des *ṭubū'* dérivés du *ṭab' Ḥsīn* (*Ḥsīn ṣabā* et *Ḥsīn 'ajam)*. Œuvre d'un grand soufi tunisien, poète et musicien, rassemblée vraisemblablement au cours du XIXe siècle par l'un de ses disciples de la *zāwiya karrāriyya* (connue à Sfax et à l'île de Djerba), une des plus anciennes *safīna* (recueil) du *mālūf al-jidd* (sacré) des confréries tunisiennes.

❖ *Majmū' fī fann al-mūsīqā* (daté de 1886) (ibn 'Abd Rabbih, 1998) est un des plus anciens et des plus exhaustifs recueils du répertoire classique tunisien, rassemblé par Ḥāj 'Alī ibn 'Abd RabbIh (XIXe siècle) à partir de plusieurs versions manuscrites et grâce à la participation d'éminents érudits de l'époque à la tête desquels on trouve le cheikh.

❖ Abū al-'Abbās Aḥmad al-Aṣram (m. en 1861). Ce manuscrit compte parmi les références les plus complètes du corpus chanté à l'époque, il renferme plus de 783 pièces pour les treize *nūbas* traditionnelles (profanes et sacrées), et plus de 250 pièces hors *nūbas*. Suite à une brève introduction, il se présente comme suit :

1. Une *Safīna mālūf* rassemblant les treize *nūbas* classiques sacrées et profanes (*mālūf al-jidd* et *mālūf al-hazl*), dans la version la plus complète.

2. Des *muwaššaḥs* se rapportant aux différentes *nûbas*.

3. Des pièces et suites chantées appartenant au répertoire populaire citadin :

- des *'amaliyyāt (*chants de type *tawšīḥ* et *šuġul)*

- des poèmes et improvisations chantées (*qaṣā'id*, *abyāt*, *mawwālāt maṣriyya* et *'arūbiyyāt*).

Par l'ampleur de son corpus, il témoigne de la richesse et de la diversité du patrimoine musical citadin classique et populaire de la Tunisie de l'époque. Comparé au corpus actuel, il suscite plusieurs constatations, dont les suivantes :

- Une déperdition croissante au fil du temps, touchant la musique citadine tant classique que populaire, puisque les neuf fascicules actuels, publiés depuis 1967 dans le cadre de la *Rašīdiyya*, comptent seulement 372 sur 783 pièces.

- Une série de transformations touchant aussi bien le fond que la forme de cette tradition.

- La musique citadine tunisienne connaissait à l'époque une réelle interpénétration des genres, sacrés et profanes, classiques et populaires ; avec un intérêt prééminent du genre syro-égyptien.

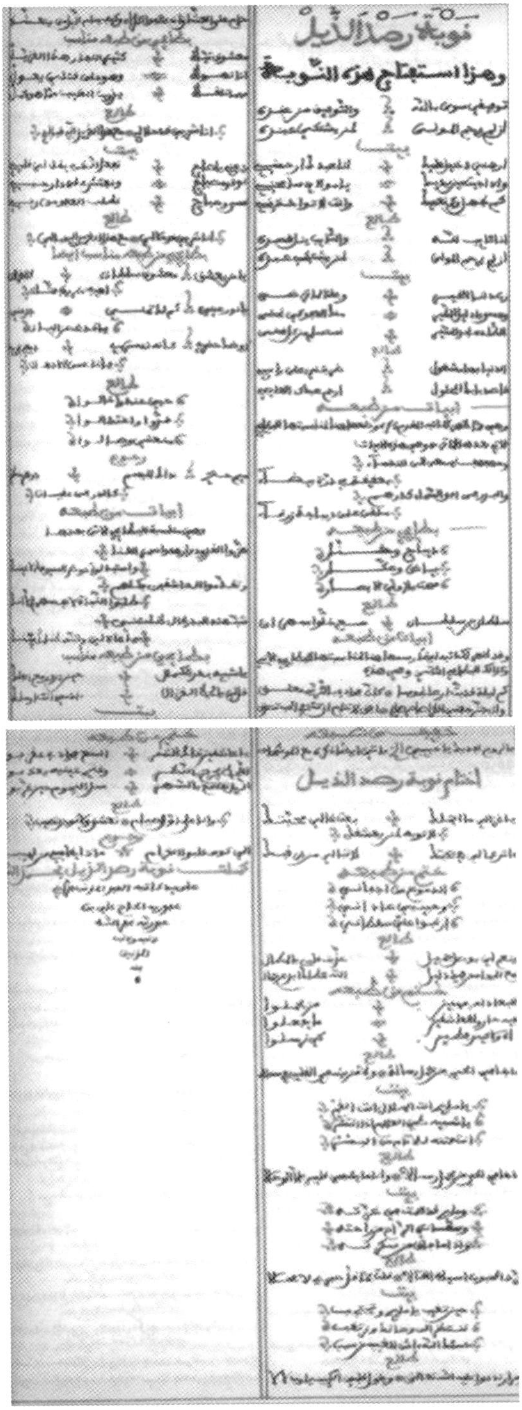

Figure n° 1 : *Ibn ʻAbd Rabbih, Majmūʻ fī fann al-mūsīqā* (daté de 1886) : *Nūba Raṣd al-Ḏīl, p. 106 (début de la nūba), p. 126 (fin de la nūba)*

❖ *Al-aġānī al-tūnisiyya* (*Les chants tunisiens*), rédigé en 1918[5] par Ṣādiq al-Rizguī (1874-1939) (al-Rizguī, 1968). L'auteur, homme cultivé et mélomane, dresse un tableau détaillé des traditions musicales tunisiennes des deux derniers siècles. Son approche historique, musicologique, sociologique et littéraire fait de ce livre un document utile à consulter. L'ouvrage témoigne du rôle omniprésent joué par la musique au sein de la société tunisienne ainsi que de la diversité et de la richesse des genres et répertoires, due à une pratique musicale active.

❖ *Ġāyatu al-surūri wal-munā al-jāmi'u li-daqā'iqi raqā'iqi al-mūsīqā wal-ġinā'* (*L'ultime bonheur et espérance rassemblant les règles précises de la musique et du chant*) comporte : *Ṯawābit ta'līm al-ālāt wa-nawbāt al-mālūf* (*Précis de l'enseignement des instruments de musique et des nūbas du mālūf*), daté du 10 *ša'bān* 1288 de l'hégire / 30 octobre 1871[6]. Nous le devons à un groupe de quatre officiers appartenant à l'école militaire du Bardo (près de Tunis) fondée par Ahmad Bey I (1837-1855)[7]. Ce document présente l'une des adoptions les plus anciennes de la théorie et de la notation musicale occidentale en Tunisie, représentant ainsi une référence unique pour mieux percevoir la réalité musicale de l'époque et cela à divers niveaux : la terminologie, l'enseignement, l'instrumentarium, l'interprétation et le corpus aussi bien vocal qu'instrumental. Parmi les divers aspects contenus dans cet ouvrage, celui du répertoire du *mālūf* tunisien transcrit offre un intérêt particulier.

4. Présentation détaillée de *Ġāyatu al-surūri wal-munā*[8]

L'ouvrage représente une source exceptionnelle pour la musique tunisienne, une première tentative de sauvegarde et d'enseignement méthodique utilisant de nouvelles données pédagogiques, théoriques, ainsi que la notation empruntée à la musique occidentale. Une réalisation d'envergure sur la conception musicale de l'époque à la fois théorique, didactique et pratique concernant l'enseignement, l'organologie et la sauvegarde du patrimoine citadin chanté et instrumental.

---

[5] Confié au baron Rodolphe d'Erlanger (m. en 1932), le manuscrit de cette œuvre remarquable resta dans l'ombre malgré les tentatives de son auteur pour le reprendre. Seule une copie fut récupérée dans les années soixante par le ministère tunisien des Affaires Culturelles et de l'Information et alors publiée en fac-similé.

[6] Il existe une unique copie manuscrite ainsi qu'une édition polychrome Ms. Archive de la Rašīdiyya (*Fī fann al-mūsīqā, Safāyin al-mālūf al-tunisī* (Art de la musique, Recueils du *mālūf* tunisien), 2005). Pour la présentation, l'étude et l'analyse de son contenu, voir Guettat, 2015.

[7] École militaire ou École polytechnique installée au sein du palais du Bardo, dans la banlieue de Tunis, c'est une institution d'enseignement militaire de la Tunisie beylicale, fondée en 1837 (1838 pour certains) par Ahmed Ier Bey et fermée en 1868. La plupart des historiens, dont Ibn Abī Ḍiyāf, retiennent la date officielle du 5 mars1840, date du décret beylical et du début des cours. Par ailleurs, des recherches ont montré que sa création remonte à 1834 et s'inscrit dans le processus de modernisation de l'armée tunisienne, engagé dès 1831. Ahmad Bey l'aménagea le 5 mars 1840 dans son palais qu'il quitte alors pour un nouveau bâtiment. Cf. Chater, 2006.

[8] Dans les différents exemples cités plus tard dans cet article, nous avons trouvé judicieux d'insérer les numéros de pages correspondants dans l'ouvrage étudié. Voir : *Ġāyatu al-surūri wal-munā al-jāmi'u li-daqā'iqi raqā'iqi al-mūsīqā wal-ġinā'/ẓawābṭu 'ilm al-ālāt wa-nawbāt al-mālūf* (Méthodes pour l'enseignement des instruments de musique et les *nûbas* du *mâlûf*) 2005.

Figure n° 2 : *Ġāyatu al-surūri wal-munā, Nūba al-Ḏīl, p.189 (Istifāḥ)*

Figure n° 3 : *Ġāyatu al-surūri wal-munā, 1871, Nūba al-Ḏīl, p. 209 (Khatm).*

D'après nos connaissances, cet ouvrage est le premier du genre en langue arabe. En effet, il s'intéresse, dans sa première partie, à indiquer les principes du solfège selon la méthode occidentale, suivant ainsi une approche originale basée sur quelques instruments de la musique arabe et occidentale, expliquant la manière de tenir l'instrument et d'en obtenir les différentes notes, puis de transcrire les degrés correspondants, tout en décrivant leurs emplacements sur la portée musicale. Ainsi, il convient de voir dans cette section de l'ouvrage une partie théorique didactique telle qu'elle était connue en Occident, bien que la manière de présenter soit différente. Quant à la deuxième partie, elle est consacrée à la sauvegarde, par la transcription musicale, des treize *nūbas* du *mālūf* tunisien et d'un ensemble de pièces instrumentales connues à l'époque. Nous présentons ici les détails de quelques points jugés utiles pour la tradition musicale tunisienne.

4.1. Méthode d'enseignement

Il s'agit d'un manuel d'apprentissage pour sept instruments de l'époque [accordages (partant de l'aigu = 1e corde), positions des doigts, quelques exercices, etc…] (p. 11-167), à savoir :

a) *Jrāna* / violon, avec un aperçu des procédés de l'écriture musicale (p. 11-55) :

- à quatre cordes, de l'aigu (1e corde) au grave [*mi – la – ré - sol / do – sol – do - fa / ré – la – ré - sol*] ;
- à sept cordes / viole d'amour (p. 48-50) [*ré – la – sol – ré – la – sol - ré*].

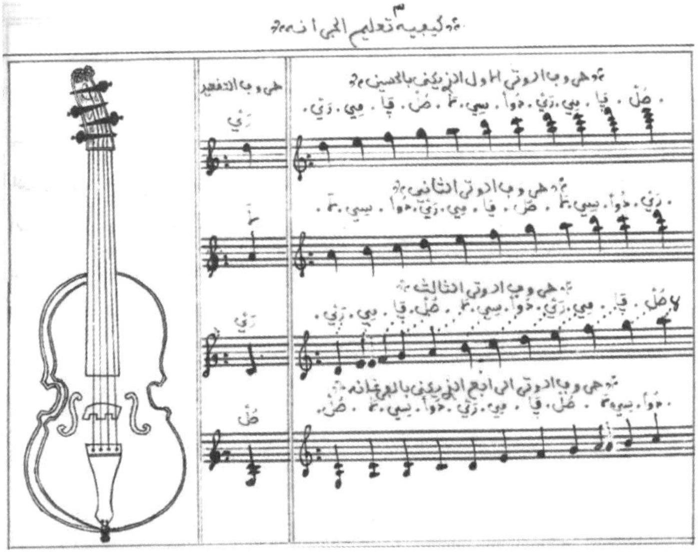

Figure n° 4 : *accordage du violon (Ġāyatu …, 1871, p. 11)*

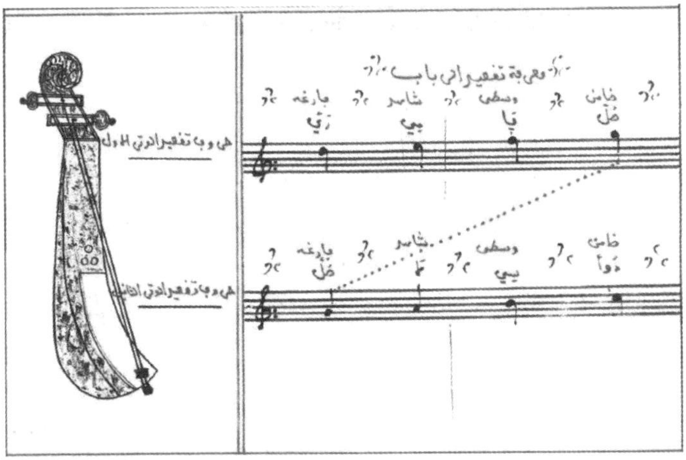

Figure n° 5 : *rabāb* / vièle à deux cordes (sol_3– ré_4) (Ġāyatu…, 1871, p. 86)

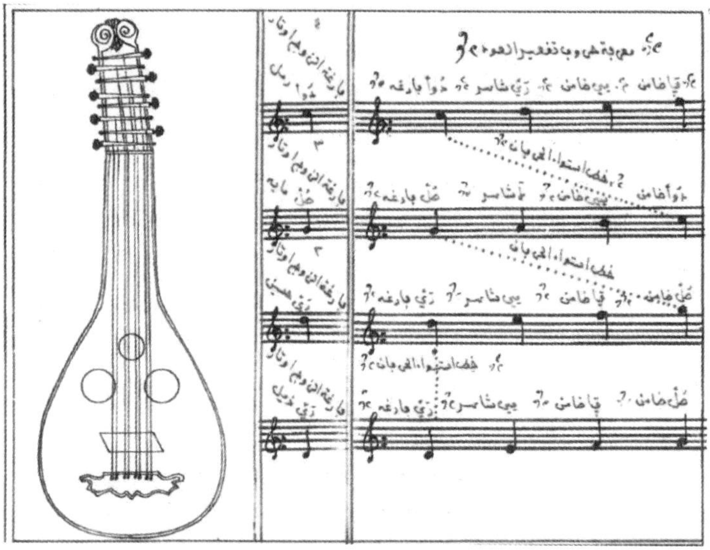

Figure n° 6 : accordage du *'ūd* / luth maghrébin traditionnel à quatre cordes [ramal / do$_4$ - māya / sol$_3$ -ḥsīn / ré$_4$ - ḏīl/ ré$_3$] (*Ġāyatu…*, 1871, p. 86)

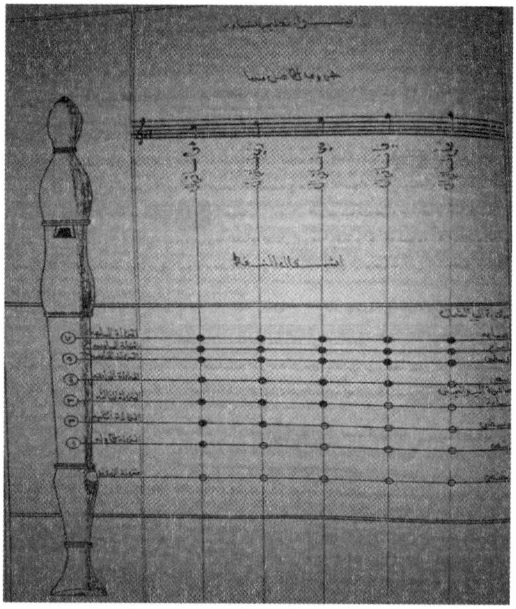

Figure n° 7 : *šabbāba*/ flageolet anglais[9] (*Ġāyatu…*, 1871, p. 86)

[9] En consultant le manuscrit les premières fois, j'ai confondu cet instrument avec la flûte à bec. Il s'agit ici plutôt d'un flageolet anglais à six trous principaux sur la face avant. Cet instrument est caractérisé aussi par la présence d'une éponge dans un bulbe sous le bec.

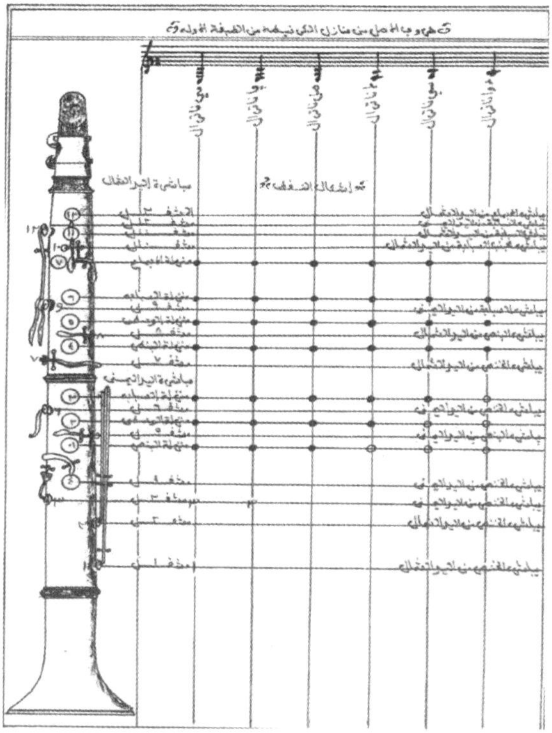

Figure n° 8 : *karnīta*/ clarinette (Ġāyatu…, 1871, p. 97)

Figure n° 9 : harmonium (Ġāyatu …, 1871, p. 143)

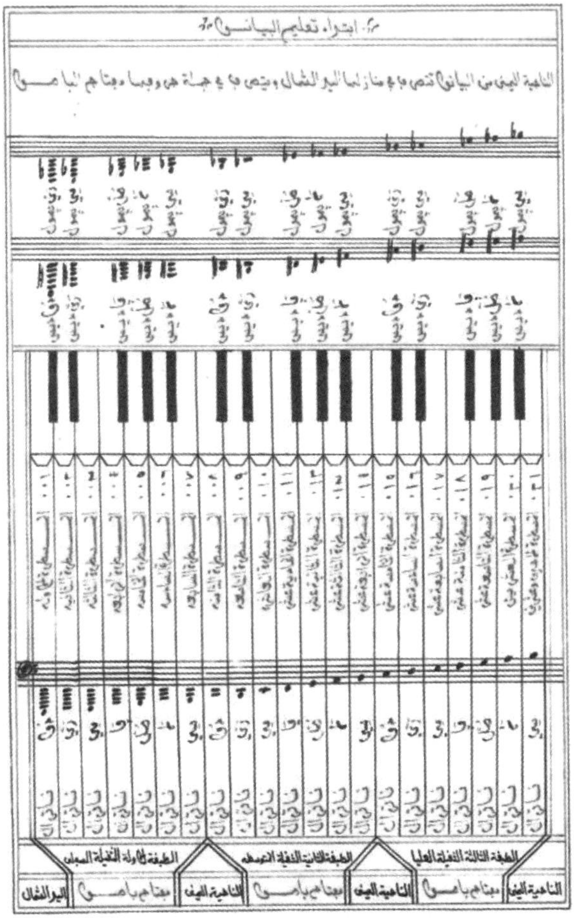

Figure n° 10 : méthode d'enseignement du piano (p. 144)[10]

4.2. Échelles et modes

a) Ma'rifat at-ṯubū' al-ifranjiyya min al-mīnūrī wal-mājūrī wa-hum ṯalāṯīna ṭab' [Connaissance des gammes européennes mineures & majeures = 30 gammes], (p. 169-175).

b) Ma'rifat at-ṭubū' al-'arabiyya wa-hum arba'ata wa-arba'īna ṭab' [Connaissance des *ṭubū'* arabes = 44 *ṭab'*, 14 fondamentaux y compris le *rahāwī* et 30 dérivés], (p. 176-180).

[10] Nous pouvons lire en haut de cette illustration : « initiation à l'apprentissage du piano », alors que l'image qui précède cette méthode et qui est censée nous présenter l'instrument, nous montre bien un harmonium. Nous pensons qu'il s'agit d'une confusion de terminologie de la part des auteurs concernant les deux instruments. Remarquons toutefois, que la présence en Tunisie de l'instrument de type « orgono » est attestée depuis 1696. Il a été commandé par Rumḏān Bey en provenance de la ville de Florence (al-Sarrāj, 1970, vol. II, p. 165 ; 'Abd al-Wahhāb, 1981, p. 237-238).

Tableau n° 2 : liste des *ṭubū'* arabes (fondamentaux et dérivés)

Ṭubū' fondamentaux (14)	*Ṭubū'* dérivés (30)
▪ *Rahāwī*	▪ *Jarka Rahāwī - Mḥayyir Rahāwī*
▪ *Ḏīl*	▪ *Jarka Ḏīl*
▪ *'Irāq (aṣil)*	▪ *Inqilāb 'Irāq - Mḥayyir 'Irāq*
▪ *Ṣīkāh (aṣil)*	▪ *Inqilāb Ṣīka – Jarka Ṣīka, M'ḥayyir Ṣīka*
▪ *Ḥsīn (aṣil)*	▪ *Ḥsīn ṣabā - Ḥsīn 'ushayrân - Hsîn 'ajam – Hsîn nîriz - Hsîn 'uššāq - Mḥayyir Ḥsīn – Jarka mḥayyir*
▪ *Raṣd*	▪ *Jarka Raṣd - Mḥayyir Raṣd*
▪ *Raml māya*	▪ *Jarka Nawā - Mḥayyir Nawā*
▪ *Nawā*	▪ *Iṣba'ayn barrānī - Mḥayyir Iṣba'ayn*
▪ *Iṣba'ayn*	▪ *Raṣd al-Ḏīl barrānī - Raṣd al-Ḏīl inqilāb- Mḥayyir Raṣd al-Ḏīl*
▪ *Raṣd dhīl (aṣl)*	▪ *Jarka Raml*
▪ *Raml*	▪ *Jarka Iṣbahān*
▪*Iṣbahān*	▪ *Jarka Mazmūm*
▪*Mazmūm*	▪ *Inqilāb Māya - Mḥayyir Māya – Jarka Māya*
▪*Māya*	

Figure n° 11 : *Présentation du ṭab' Ḏīl et son dérivé ḥarakat al-Ḏīl (p. 176)*

c) *Nā'ūrat al-ṭubū'* (*Noria des modes*) [13], (chaque mode est traduit par un fragment mélodique représentatif)[11] (p. 181-187).

[11] Pour les détails voir l'ouvrage *Ġāyatu al-surūri wal-munā,* p. 102.

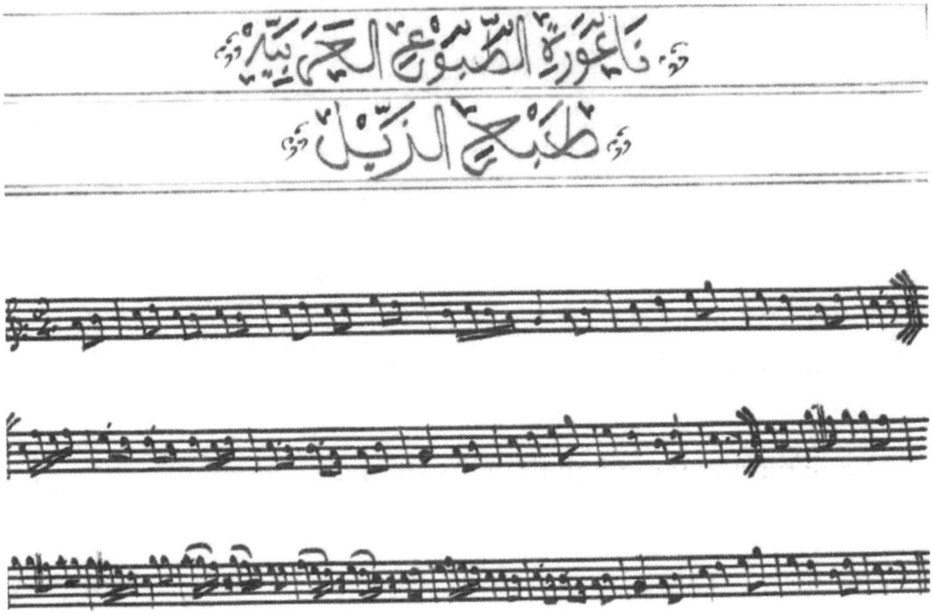

Figure 3 : ***Noria des modes / ṭa'' al-Ḏīl et son dérivé ḥarakat al-Ḏīl (p. 181)***

Tableau n° 3 : les *ṭubū'* de la Noria des modes selon l'ordre de leur succession (du Ḏīl au Māya)

1- Ḏīl	*8- Iṣba'ayn*
2- 'Irāq	*9- Raṣd al-Ḏīl*
3- Ṣīkāh	*10- Raml*
4- Ḥsīn	*11- Iṣbahān*
5- Raṣd	*12- Mazmūm*
6- Raml al-Māya	*13- Māya*
7- Nawā	

d) Les *nūbas* (présentation d'une partie importante des treize *nūbas* traditionnelles selon l'ordre connu : texte poétique et transcription musicale) (p. 189-435) :

Tableau n° 4 : l'ordre des *nūbas*

Ḏīl, 'Irāq, Ṣīkâh, Ḥsīn, Raṣd, Raml-māya, Nawā, Iṣba'ayn, Raṣd-ḏīl, Raml, Iṣbahān, Mazmūm et *Māya*

4.3. Terminologies spécifiques

a) Notes de l'échelle musicale tunisienne (du grave vers l'aigu) :

do$_3$ = *ḏīl, raṣd ḏīl, mazmūm, māya*
ré$_3$ = *ḥsīn ṣabā, ṣabā*
mi$_3$ = *ṣīkāh*
fa$_3$ = *mazmūm, raṣd ḏīl barrānī*

sol$_3$ = *'irāq*
la$_3$ = *ḥsīn nīriz, ḥsīn aṣil*
si$_3$ = *ṣīkāh aṣl*
do$_4$ = -------
ré$_4$ = -------
mi$_4$ = *inqilāb ṣīkāh*
fa$_4$ = *mamzūm, inqilāb raṣd ḏīl*
sol$_4$ = --------
la$_4$ = *nīriz*

b) Cordes du *'ūd* traditionnel (p. 68)

- L'accordage du *'ūd* se présente de haut en bas, comme suit :

✓ 1[er] = *raml* / *do*$_4$ (2e intermédiaire)
✓ 2[e] = *māya*/ *sol*$_3$ (1er intermédiaire)
✓ 3[e] = *ḥsīn* / *ré*$_4$ (le plus aigu)
✓ 4[e / grave] = *ḏīl* / *ré*$_3$

- Le doigté utilise uniquement trois positions :

✓ à vide (*fāriġa)*
✓ index (*šāhid* /*sabbāba*)
✓ annulaire (*ḍāmin* /*binṣar*)

Le médius (*wustā)* et l'auriculaire *(ḵinṣar)*, ne sont pas utilisés.

Par exemple, les notes sur une corde : *ḏīl* / *ré*$_3$, se traduisent de cette manière :

Tableau n° 5 : Exemple de la suite des notes sur la corde *ḏīl* du *'ūd*

→	Vide	*šāhid*	*ḍāmin*	*ḍāmin*	*ḍāmin*	*ḍāmin*	*ḍāmin*
→	*Ré*	*mi*	*fa*	*sol*	*la*	*si*	*do*

c) Cordes du *rabāb* traditionnel (p. 55)

✓ *Ḥsīn* (*ré*$_4$)
✓ *Ḏīl* (*sol*$_3$)

Avec uniquement quatre positions (sans l'auriculaire) :

✓ à vide /*fāriġa*
✓ index (*šāhid* / *sabbāba*)
✓ médius (*wusṭā*)
✓ annulaire (*ḍāmin* /*binṣar*)

Ce document, témoin de l'intérêt porté à la tradition, représente une référence pour toute étude comparative approfondie concernant les différents changements que la musique tunisienne a pu connaître au cours des deux derniers siècles. Cela est visible en effet à divers niveaux. D'abord la terminologie (termes anciens tels que *iṣba'ayn barrānī*, *muḥayyar* etc.). Aussi au niveau de l'interprétation (différences concernant la version donnée des *ṭubū'* et du répertoire vocal et instrumental) ; corpus, en particulier des pièces instrumentales déclarées perdues depuis (ex. *tūšya ramal-māya*, certains *bašraf*, *šanbar* et principalement le *šanbar nawā* attribué au

Cheikh Khmayyis Tarnān) [= onze *bašrafs*, quatre *šanbars*, quatre *ṣufyāns*, deux *murabba's,* deux *nawāṣīs,* quatre *šarqīs,* deux *ḥarbīs* et aussi des pièces turques : deux *yarim sāqil*, trois *yarim turkī*, un *ḥalq* et un *qarnadlī*].

Concernant les instruments, nous constatons aussi que pour les deux premières parties, le violon occupe une place de choix. Toutes ces données impliquent la formulation de deux remarques :

D'une part, l'utilisation du violon comme référence au sein même de la partie théorique (p. 12-55). En effet, le manuscrit commence (p. 11) par présenter le premier accordage dit « *'arbī* » (arabe) du violon (*ré – la – ré - sol*) ainsi que les différents degrés donnés par les quatre cordes. Il poursuit plus loin (p. 19-39) par l'explication de l'enseignement du violon pour revenir une fois encore au violon (p. 47-50) avec le deuxième accordage « *'arbī* » du violon (*do – sol – do - fa*). Le livre nous présente ensuite l'accordage « *sūrī* » (européen) (*mi – la – ré - sol*), puis celui de la viole à sept cordes (*ré – la – sol – ré – la – sol - ré*) et leur explication ; avant de terminer par les questions théoriques relatives aux abréviations de l'écriture (tels les traits et les points). Ainsi la deuxième partie consacrée à l'enseignement des instruments se trouve-t-elle déjà annoncée par celle du violon, intégrée à la partie théorique.

D'autre part, la présentation des différents accordages du violon, ainsi que l'utilisation d'une double terminologie se rapportant aux deux traditions : arabe (tunisienne) et occidentale, soulignent non seulement l'importance du violon dans la pratique musicale tunisienne de l'époque, mais aussi l'impact causé déjà par l'acculturation dans le milieu musical tunisien.

Cette double tendance, bien significative, apparaît avec plus d'évidence dans le choix des instruments proposés par la deuxième partie (organologie). Si le violon symbolise bien la coexistence tradition - ouverture, le *rabāb* et le *'ūd* mettent plutôt en évidence l'originalité de la pratique essentiellement tunisienne, tandis que le flageolet, la clarinette et le piano ou harmonium traduisent l'importance de l'impact déjà amorcé de la musique occidentale.

4.4. Le répertoire transcrit

La troisième partie de l'ouvrage, consacrée à la transcription du répertoire, démontre que malgré cet impact, il y a une volonté évidente de vouloir préserver, voire réhabiliter le patrimoine musical tunisien, en usant des moyens offerts par la musique occidentale. Aussi il paraît clair que les auteurs du manuscrit sont bien conscients des limites d'une telle tentative. Cela est vrai non seulement par la mise en évidence de la pratique et de la terminologie locales, dont une bonne partie est empruntée au dialectal, mais aussi par de nombreuses remarques pertinentes, notamment celles relatives à la hauteur de certains degrés spécifiques qualifiés de « *ḥrāymiyya* »[12] (terme tunisien qui signifie : intermédiaire, entre les deux, qui n'est pas à sa place, inconvenable ou encore « note à éviter »). Également, nous avons pu noter l'utilisation du

---

[12] Voir *Ġāyatu al-surūri wal-munā*, p. 94. L'expression « *ḥrāymī* / *ḥrāymiyya* » est donnée notamment pour le *mi* et le *fa* du *ṭab' nawā* faisant allusion à une hauteur intermédiaire : entre *mi – mib*, et *fa – fa#*. C'est pourquoi, nous pensons que l'absence de ce type d'altérations dans la transcription adoptée par les auteurs est due certainement aux connaissances de l'époque.

terme « *mḥayrāt*», plur. de « *mḥayyir* » qui évoque, dans la tradition tunisienne, la notion d'intervalles spécifiques non traduisibles par la notation occidentale.

Nous pouvons aussi remarquer grâce aux fragments de transcriptions insérés précédemment dans cet article et issus de l'ouvrage *Ġāyatu al-surūri wal-munā*, une notation à l'octave supérieure. Cette façon de transcrire est-elle volontaire et propre au répertoire militaire de l'époque par exemple ? Cette transcription serait-elle destinée à être jouée par la fanfare beylicale ? Nous pensons à ce sujet que la tessiture des instruments utilisés à l'époque devait jouer un rôle important pour répondre à cette question dont la réponse demande encore une étude plus approfondie. Rappelons à ce propos, que les musiciens arabes au début de l'adoption de la notation européenne, ont suivi la méthode turque qui traduit la note *yakah* en *ré* (sous la 1e ligne de la portée, au lieu du *sol* grave) c'est à dire un système basé sur une quinte supérieure (ex. le *raṣd* = *sol* au lieu de *do* ; *dukāh* = *la* au lieu de *ré*, etc.). Par ailleurs, le chant tunisien de l'époque se distinguait par l'utilisation des voix considérées comme forcées et couvrant les deux parties médium et aigu de l'échelle et dépassant leur étendue naturelle : celles d'hommes sont de tête, grêles et chevrotantes (*ma'zāwī*) / voix de bouc (*ṣawt al-tīs*) aiguë et un peu nasale. « *Des voix blanches sans timbre* », comme le remarquait A. Laffage – « *En revanche, celles des femmes sont fortes, dures pour l'appareil auditif [...] Il n4existe pour ainsi dire aucune voix de basse...* » (Laffage, 1907, p. VI).

En parcourant ces transcriptions, nous avons pu souligner également, la négligence des intervqlles neutres. Un phénomène qui semble s'expliquer par l'absence à l'époque de signes appropriés (connus seulement plus tard), puisque les plus anciens enregistrements (datés du début du XXe siècle) font état de la présence de degrés spécifiques. Cependant, deux remarques s'imposent, d'une part, le répertoire des *nūbas* algériennes et marocaines se caractérise encore de nos jours par l'utilisation d'une échelle essentiellement diatonique ne comportant pas d'intervalles neutres ; d'autre part, contrairement à l'idée reçue les rattachant au congrès du Caire de 1932, l'utilisation des signes de quarts-de-tons est plus ancienne. Les premières tentatives remontent au début du XIXe siècle avec les écrits de Villoteau (1759-1839) (Villoteau, 1812), Giuseppe Donizetti (1788-1956)[13], Dom Parisot (1861-1923) (Parisot, 1898), Collangettes (1860-1943) (Collangettes, 1904 ; 1906). Cependant, les signes proches de ceux adoptés plus tard par le congrès du Caire de 1932 (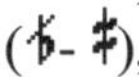), datent des années vingt du siècle dernier, avec notamment :

- ✓ Le Turc Raouf Yekta (1878-1935) (Yekta, 1922) : 
- ✓ Le Libanais Skandar Šalfūn (1849-1934) (Šalfūn, 1925, p. 49-58) : 
- ✓ L'Égyptien Šukrī Yūsif al-Maṣrī (al-Maṣrī, s.d., p. 16)[14] : 

[13] Musicien instructeur de la cour ottomane, un des premiers utilisateurs d'un tel type de signe.

[14] Il attribue leur invention à l'Égyptien Manṣūr 'Awaḍ (1880-1954), avec l'appellation de *kār* [quart] *dièse* et *kār* [quart] *bémol*.

Avec toutes ces spécificités, ce travail constitue pour le monde arabe, le premier essai de ce genre, d'où son importance qui dépasse de loin l'utilisation des données de la musique occidentale, grâce à la richesse non seulement de sa terminologie empruntée à la pratique musicale avec toutes ses composantes, locales et importées ; mais aussi de ses détails d'informations dues à l'intérêt évident porté par les auteurs au patrimoine. C'est pourquoi, nous considérons que ce manuscrit représente une véritable référence et un témoignage de la réalité musicale de l'époque.

Conclusion

Avec les écrits spécifiques au corpus des *nūbas*, le concept du *ṭab'*, le nom des *ṭubū'*, ainsi que l'appellation de leurs *nūbas* respectives, se précisent. Une fois de plus, *Ġāyatu al-surūri wal-munā* de l'école du Bardo se distingue par sa clarté et sa précision. Il fournit les informations les plus complètes sur les *ṭubū'* tunisiens :

- Une liste exhaustive : *Ma'rifat at-ṭubū' al-'arabiyya wa-hum arba'ata wa-arba'īna ṭab'* (Connaissance des *ṭubū'* arabes), rassemblant quarante-quatre *ṭab'* (quatorze fondamentaux - y compris le *rahāwî* et trente dérivés), (p. 176-180).
- *Nā'ūrat al-ṭubū'* (*Noria des modes*), comportant treize *ṭubū'* dans l'ordre de succession des treize *nūbas*. Chacun est traduit par la transcription d'un fragment mélodique représentatif, (p. 181-187).

Ainsi, les *ṭubū'* fondamentaux sont représentés par l'ensemble des *ṭubū'* principaux des treize *nūbas* avec en plus le *rahāwī*. Comparés à la pratique actuelle, les dérivés de ces treize *ṭubū'* fondamentaux étaient beaucoup plus variés puisqu'actuellement on compte seize *ṭubū'* en tout.

… …

Le *mālūf*, répertoire classique de la musique tunisienne, représente encore aujourd'hui une production artistique imposante, fondue en un ensemble homogène et typique. Son corpus composé principalement des treize *nūbas* traditionnelles s'élargit, selon les sources, à des formes hors *nūba*, notamment instrumentales : improvisation (*istiḫbār*), ouvertures *bašraf*, *bašraf-samā'ī* et *šanbar*. Il existe par ailleurs d'autres formes plutôt vocales et de caractère à la fois savant et populaire : la *qaṣīda* (improvisation vocale sur des vers classiques), le *tawšīḥ* / *muwaššaḥ* ; *šuġul*; *sjul* ou *zajal*: chants élaborés rappelant ceux de la *nūba* ; le *fūndū*, chant reposant sur un refrain (*radda*) et des couplets (*adwār*) intercalant des improvisations vocales (*'arūbī*) et utilisant divers *ṭubū'*.

Généralement, ces formes de composition plus récentes comparées aux *nūbas* s'exécutent sous forme de suite ou *'amaliyyāt* (plur. de *'amaliyya* appelée aussi *waṣla)* de deux, trois ou quatre pièces. Signalons également la très célèbre *Na'ūrat al-ṭubū'* (*Noria des modes*) qui consiste en une série de pièces qui tout en comportant dans l'ordre un *barwal* (parfois un extrait) de chacune des *nūbās* classiques, fait le tour des treize *ṭubū'* et conclut par deux *barwal* dans le *ṭab'* initial (*ḏīl*). Les passages sont effectués habilement et le déroulement rythmique commençant par un *dḫūl barwal* modéré, s'accélère progressivement pour finir sur un *barwal* très alerte. Il s'agit d'un exercice très utile pour mémoriser les *ṭubū'* et s'inscrit dans le genre de poème didactique (*urjūza* / *manẓūma*) de la tradition arabo-musulmane. Par ailleurs, elle constitue un procédé d'enseignement pour la mémorisation des règles de différentes disciplines, notamment la musique[15].

Actuellement, la *nūba* tunisienne se déroule selon un ordre bien déterminé que nous présentons dans le tableau suivant :

Tableau n° 6 : le déroulement d'une *nūba* complète dans le cadre du *mālūf* tunisien

❑ Partie introductive :	
•*istiftāḥ*	: Prélude instrumental (sans tempo fixe)
•*mṣaddar* (avec *ṯawqetsilsila*)	: ouverture instrumentale ($^{6}_{4}$ - $^{3}_{4}$ - $^{3}_{8}$)
- *dḵūl al- abyāt*	: court prélude instrumental ($^{2}_{4}$ - $^{4}_{4}$)
•*abyāt*	: deux vers chantés avec deux *fāriġa* (intermède instrumental) ($^{4}_{4}$).
....	....
❑ Partie principale (cinq cycles vocaux)	
- *dḵūl al-bṭāyḥiyya*	: court prélude instrumental ($^{2}_{4}$ - $^{4}_{4}$)
* *bṭāyḥiyya*	: 1ère série de pièces vocales avec, dans certaines *nūbas*, une *fāriġa* (intermède instrumental) entre les deux premiers *bṭāyḥiyya* ($^{4}_{4}$)
- *tūšya*	- intermède instrumental ($^{2}_{4}$ - $^{4}_{4}$) avec une série de variations et d'improvisations. Habituellement, on joue la *tūšya* de la *nūba* suivante.
■ (*istiḵbār*)	: improvisation instrumentale de la *tūšya.*
■ (*mšadd*)	: variations instrumentales rythmées ($^{2}_{4}$), venant après la *tūšya* (exclusivement réservée au luth)
■ (*sawākit* / *mšāġlāt*)	: variations instrumentales d'airs populaires (faisant suite au *mšadd*)
- *dḵūl al-brāwil*	: prélude vocal (¢).
* *brāwil*	: 2e série de pièces vocales ($^{2}_{4}$)
- *fāriġat al-adrāj*	: intermède instrumental ($^{6}_{4}$)
* *adrāj*	: 3e série de pièces vocales ($^{6}_{4}$)
- *fāriġat al-ḵafāyif*	: court intermède instrumental ($^{6}_{4}$)
* *ḵafāyif*	4e série de pièces vocales ($^{6}_{4}$)
- *dḵūl ḵatm*	: Le dernier *ḵafīf* (surtout le vers final) est accéléré ($^{6}_{8}$) servant ainsi de prélude au *ḵatm* ($^{6}_{8}$)
* *aḵtām*	: 5e et dernière série de pièces vocales ($^{3}_{8}$)

D'interprétation majestueuse et solennelle, une *nūba* complète peut durer jusqu'à deux heures. C'est pourquoi nous trouvons le genre appelé « *mḥaṭṭ* » et qui représente une *nūba* réduite se limitant à quelques pièces mais toujours ordonnées selon un tempo allant du plus lent au plus rapide.

[15] Certains lettrés confondent *Na'ūrat al-ṭubū'* avec le poème panégyrique de cinquante-six vers du soufi *al-šayḵ* Muḥammad al-Ḍarīf (m. en 1385), un extrait de six vers (15-20) qui récapitule de manière didactique l'ordre des quatorze *ṭubū'*, dont la terminologie et la succession sont identiques (excepté le *rahāwī* et le *muḥayyar*) à celles de douze parmi les treize *ṭubū'* des treize *nūbas* du *mālūf* tunisien (le *raml al-māya* n'étant pas mentionné). En pratique, la version chantée dans le *mālūf* constantinois (Est-algérien) – documentée en particulier par un enregistrement de Cheikh Raymond Leyris, *Concert public de malouf*, vol. II, Al Sur ALCD. 134 enr. 1954, publié en 1994 – garde un intérêt particulier car elle est la seule à utiliser l'extrait du *šayḵ* al-Ḍarīf en question.

Tous ces éléments témoignent du caractère dynamique et évolutif du *mālūf* tunisien à travers les différentes époques que le pays a connues. Un répertoire qui est à la fois symbole de toute une tradition et résultat de divers métissages. Ces différentes mutations du *mālūf* tunisien, nous continuons à les constater aujourd'hui grâce aux interprétations de plus en plus originales, des nouvelles générations d'artistes. Il y a lieu ici de se poser des questions sur le devenir de ce répertoire. Est-ce qu'il risque de perdre, au fil du temps, tout caractère traditionnel ? Ou bien ces mutations font-elles tout simplement partie d'un processus naturel qu'il faudrait accepter et intégrer à ce patrimoine ? Tant de questions auxquelles le temps mais aussi une observation approfondie, pourront apporter des réponses.

Bibliographie

‘ABD AL-WAHHAB, Ḥasan Ḥusnī, 1965, *Waraqāt ‘an al-ḥaḍāra al-‘arabiyya bi-ifrīqya at-tūnisiyya*, vol. II, Tunis, al-Manar (2e éd. 1981).

AL-MAṢRI, Šukrī Yūsif, *Mu'allim al-mūsīqā al-šarqiyya wan-nūta al-ifranjiyya* (Le livre de la musique orientale), Le Caire.

AL-RIZGUĪ, Ṣādiq, 1968, *al-Aġānī al-tūnisiyya* (Les chants tunisiens), Tunis, STD, 458 p. (nlle éd. 1989).

AL-SARRĀJ, Muḥammad al-Wazīr, 1970, *al-Ḥulal al-sundusiyya fil-aḫbār al-tūnisiyya* (Nouvelles tunisiennes), Tunis, ad-Dār al-tūnisiyya.

BIN ‘ABD RABBIH, Ḥāj ‘Alī, 1998, *Fī fann al-mūsīqā, Safāyin al-mālūf al-tūnusī*, Tunis, Ministère Tunisien de la Culture, Dār al-'arabiyya lil-kitāb, éd. fac-similé (polychrome), 357 p.

CHATER, Khalifa, juin 2006, « L'école militaire du Bardo : l'émergence d'une élite nouvelle ? » (http://chater.khalifa.chez-alice.fr/ecole_militaire.htm).

CHOTTIN, Alexis, 1938, *Tableau de la musique marocaine*, Paris, Geuthner (réed. fac-similé, 1999).

COLLANGETTES, Maurice, 1904, « Etude sur la musique arabe », *Journal Asiatique*, Paris, 10e série/IV, p. 365-422 ; VIII, 1906, p. 149-190.

ERLANGER, Rodolphe d', 1959, *La musique arabe*, t. VI, Paris, Geuthner.

FĀSĪ, Muḥammad, 1962, « *al-Mūsīqā al-maġribiyya al-musammāt andalusiyya* » (La musique marocaine appelée andalouse), *Héspéris Tamuda*, III/I, p. 79-106.

Ġāyatu al-surūri wal-munā al-jāmi‘u li-daqā'iqi raqā'iqi al-mūsīqā wal-ġinā'/ẓawābṭu ‘ilm al-ālāt wa nawbāt al-mālūf : *ẓawābiṭu ‘ilm al-ālāt wa nawbāt al-mālūf*, 1871 (L'ultime bonheur et espérance rassemblant les règles précises de la musique et du chant : méthodes pour l'enseignement des instruments de musique et des *nūba* du *mālūf*), 2005, Tunis, éd. fac-similé (polychrome), Ministère de la Culture et de la Préservation du Patrimoine, 480 p.

GUETTAT, Mahmoud, 1994, « al-Rašīdiyya (*al-jam'iyya al-Rašīdiyya li-l-mūsīqā al-tūnisiyya*) », *in Encyclopédie de l'Islam*, vol. VIII, Paris, nlle éd. Leiden, E.J. Brill, p. 463-464.

GUETTAT, Mahmoud, 2000, *La musique arabo-andalouse, L'empreinte du Maghreb*, Paris, El-Ouns / Montréal, Fleurs Sociales.

GUETTAT, Mahmoud, 2004, *Musiques du monde arabo-musulman : Guide bibliographique et discographique, Approche analytique et critique*, Paris, Dār al-Uns.

GUETTAT, Yassine, 2009, *Évolution historique et mutations morphologiques du mālūf tunisien (le cas de la nūba et du ṭab' raṣd al-Ḏīl)*, Mémoire de Master recherche en musique et musicologie, Université Paris Sorbonne (Paris IV).

GUETTAT, Yassine, 2015, *Ġāyatu al-surūri wal-munā ... Un traité didactique représentatif du mālūf tunisien (durant la deuxième moitié du XIXe siècle),* thèse de doctorat sous la direction de François Picard, Université Paris-Sorbonne.

JARGY, Simon, 1988, *La musique arabe*, Paris, PUF, « Que sais-je ? », 3e éd.

LAFFAGE, Antonin, 1907, *La musique arabe, ses instruments et ses chants*, Tunis, Impr. E. Lecore-Carpentier, 2e et 3e fascicules, VIII+97 p.

MARROU, Henri-Irénée, 1961, *Les Troubadour*, Paris, Le Seuil.

PARISOT, Jean, 1898-1902, « La musique orientale », *Tribune de Saint-Gervais*

ŠALFŪN, Iskandar, 1925, *Kitāb al-'alāmāt al-mūsīqiyya wa 'ilm al-nūta* (Livre des signes musicaux ou science des notes), Le Caire.

SHILOAH, Amnon, 1995, *La musique dans le monde islamique*, Paris, Fayard.

TOUMA, Habib Hasan, 1977, *La musique arabe*, Paris, Buchet/Chastel (coll. Les traditions musicales), 2e éd 1996.

VILLOTEAU, Guillaume André, 1812, « De l'état actuel de l'art musical en Égypte / État moderne », 1e partie- Chapitre 1 : de la musique arabe, *Description de l'Égypte*, (1e éd. 1812), 2e éd. Paris-Panckoucke, 1823-26, T. XIV.

YEKTA, Raouf, article écrit en 1913, 1922, « La musique turque », Albert Lavignac (dir.), *Encyclopédie de la musique et Dictionnaire du Conservatoire*, 1e partie, Paris-Delagrave, V, p. 2945-3064.

Artistes, lois, institutions : les jeux d'influences dans le domaine musical

Lamia BOUHADIBA*

Alors que l'art aspire à repousser les limites de la liberté créatrice et semble vouloir échapper aux contraintes préétablies[1], le droit a pour mission d'exprimer les limites du vivre ensemble. Le rôle de la règle juridique étant de régir les rapports sociaux dans le but de faire régner l'ordre et la paix au sein de la société, les relations sociales tissées autour de la création artistique devront s'inscrire dans le registre des échanges respectueux de la loi. Respect des obligations contractuelles[2], respect des règles du droit pénal, respect des droits d'auteur, respect des règles protégeant le patrimoine culturel, constitueront autant de manifestations de l'exigence pour l'art de s'insérer dans la sphère juridique.

Le rapport entre art et droit ne s'exprime toutefois pas uniquement en termes de devoir de respect de la loi. Le droit garantit en même temps la liberté de création artistique et apporte une protection aux créations contemporaines et au patrimoine artistique. L'évolution de l'Art, la vulnérabilité des composantes du patrimoine culturel, le développement technologique, les échanges illicites d'œuvres artistiques, la contrefaçon d'œuvres, nécessitent par ailleurs un développement du droit en vue d'apporter une réponse juridique adaptée à la réalité artistique. Le rapport entre droit et art est donc construit autour d'influences réciproques. Les jeux d'influences s'y expriment notamment en termes de rapports entre artistes, lois et institutions. Nous

---

* Avocate spécialisée en droit de la culture. Docteure en Arts et Sciences de l'Art de l'Université Paris 1 – Panthéon-Sorbonne, chercheure associée au Centre de Recherche sur les Traditions musicales (Université Antonine, Liban). lamia_bh@yahoo.fr.

[1] Cette aspiration de l'art à franchir les frontières de l'imaginaire et à renouveler constamment les termes de sa quête d'expressions nouvelles est clairement exprimée par l'œuvre musicale *4'33''* de John Cage. Composée en 1952, cette pièce est constituée d'un silence qui dure quatre minutes et trente-trois secondes. *4'33''* a été interprétée pour la première fois à Woodstock dans l'Etat de New York par le pianiste David Tudor le 29 août 1952. John Cage ayant structuré sa pièce en trois parties, le pianiste procéda à l'ouverture du clavier au début de chaque partie et à sa fermeture à la fin de chaque partie.

[2] Le code des obligations et des contrats fixe les principes généraux et les règles régissant la matière contractuelle.

aborderons ces jeux d'influences du point de vue du domaine musical en ayant pour objectif de mettre en exergue certains aspects de la contribution des lois et des institutions tunisiennes à l'essor artistique avant d'aborder la question de l'influence des artistes sur le développement des lois et des institutions.

1. La contribution des lois et des institutions tunisiennes à l'essor artistique

Le développement artistique trouve sa source principale dans l'imaginaire des artistes, dans leur créativité et dans l'engagement personnel de chaque artiste dans la voie de la création artistique. Mais il est d'autres facteurs qui contribuent d'une façon non moins déterminante à l'essor artistique. La disponibilité des moyens financiers qu'exigent certaines créations artistiques notamment dans le domaine audiovisuel, la place que confèrent les médias à la culture en général et à la création artistique en particulier et l'intérêt accordé par le public à l'art représentent certains de ces facteurs auxquels nous ajoutons le facteur juridique dont nous soulignons l'importance. S'agissant de musique, le droit se distingue par son rôle déterminant dans l'encouragement de la création musicale et dans la préservation du patrimoine musical.

1.1. L'encouragement de la création musicale

L'encouragement de la création musicale peut se faire à travers des subventions octroyées par l'État afin de permettre aux artistes de faire face aux dépenses qu'exigent les différentes étapes de la production d'œuvres. En vertu du décret n° 2000-877 du 24 avril 2000, fixant les modalités d'octroi des subventions d'aide à la production d'œuvres nouvelles dans le domaine de la musique[3], le ministère tunisien chargé de la culture octroie des subventions d'aide à la production « dans la limite de 70% du coût, quant à la parole, la composition, l'interprétation et l'enregistrement »[4], ces subventions étant octroyées « à la production d'œuvres nouvelles dans le domaine de la musique sur différents supports, notamment sur des cassettes magnétiques, audiovisuelles et des disques compacts »[5].

Cet encouragement financier contribue à l'essor de la musique à travers l'enrichissement du paysage musical par des œuvres nouvelles, à travers la découverte et l'encouragement de nouveaux talents et à travers la valorisation des productions musicales subventionnées par le ministère chargé de la culture. Ces productions musicales doivent bénéficier d'un niveau artistique reconnu par la commission consultative chargée d'émettre un avis concernant l'octroi des subventions[6]. Bien que le jugement de la qualité artistique d'une œuvre musicale demeure soumis à des critères qui échappent dans une large mesure au droit et bien que les avis soient susceptibles

---

[3] *Journal Officiel de la République Tunisienne* (*JORT*) n° 36 du 5 mai 2000, p. 984.

[4] Article 5 § 2.

[5] Article 1er.

[6] Concernant la composition et les attributions de la commission consultative, voir les articles 3 à 5 du décret n° 2000-877 du 24 avril 2000, fixant les modalités d'octroi des subventions d'aide à la production d'œuvres nouvelles dans le domaine de la musique.

de diverger quant à l'appréciation d'une même musique, l'avis de la commission consultative apporte une garantie quant au sérieux du projet artistique et à sa conformité aux critères fixés par la loi en vue de l'octroi de la subvention. Ces conditions ont été posées par l'article 9 du décret du 24 avril 2000 précité. Selon cet article, la production musicale « doit être tunisienne de par les participants à son exécution », elle doit être « conforme aux normes retenues » et doit « répondre aux normes de création au niveau de la parole, la composition et l'interprétation ». Le même article ajoute que dans la production soumise à la commission « la proportion des œuvres nouvelles ne doit pas être inférieure à 60% de l'ensemble des compositions ».

L'importance de l'encouragement financier et son influence souvent déterminante sur le développement de la création musicale, ne saurait occulter d'autres aspects de la participation de la loi et des institutions à l'essor musical. L'institution de prix[7], la création de maisons de la culture, le rôle joué par les festivals dans l'encouragement de la musique tunisienne à côté d'une ouverture sur les musiques du monde ainsi que la multiplication des conservatoires et des instituts supérieurs de musique, figurent parmi les facteurs qui contribuent grandement à l'encouragement de la création musicale à travers la formation et la valorisation des musiciens.

À ces facteurs s'ajoute celui du cadre juridique assurant la protection des œuvres et interprétations musicales et des intérêts des musiciens et des compositeurs. Cette protection est accordée par le droit de la propriété littéraire et artistique dans ses deux volets, à savoir le droit d'auteur et les droits voisins du droit d'auteur définis en droit tunisien comme étant ceux « dont jouissent les artistes interprètes ou exécutants, les producteurs de supports audios ou audiovisuels et les organismes de radio et de télévision »[8]. La loi applicable en la matière est la loi n° 94-36 du 24 février 1994 relative à la propriété littéraire et artistique[9] telle que modifiée et complétée par la loi n° 2009-33 du 23 juin 2009[10]. L'adoption de la loi de 2009 a constitué une évolution du droit tunisien dans le sens d'une reconnaissance explicite des droits des interprètes, des producteurs et des organismes de radio et de télévision. Il s'agit d'un élargissement du champ d'application de la loi qui suivra désormais la création musicale sur l'ensemble de son parcours comprenant le travail de composition et éventuellement d'arrangement, mais également les différentes interprétations qui pourront en être faites.

Le droit de la propriété littéraire et artistique contribue à l'encouragement de la création musicale à travers la reconnaissance des droits patrimoniaux et moraux des

---

[7] Voir notamment à ce sujet, le décret n° 84-955 du 23 août 1984 portant création de prix nationaux dans les domaines des lettres et des Arts (*JORT* n° 49 des 28-31 août 1984, p. 1915) modifié par le décret n° 87-413 du 6 mars 1987 (*JORT* n° 19 du 13 mars 1987, p. 397) lui-même modifié par le décret n° 87-1445 du 24 décembre 1987 (*JORT* n° 1 des 1-5 janvier 1988, p. 9), le décret n° 84-955 ayant également été modifié par le décret n° 92-592 du 16 mars 1992 (*JORT* n° 20 du 31 mars 1992, p. 400) et le décret n° 2004-1632 du 12 juillet 2004 (*JORT* n° 58 du 20 juillet 2004, p. 1893) ; voir aussi le décret n° 2001-888 du 18 avril 2001, relatif à l'institution du prix pour la meilleure production culturelle tunisienne ayant enregistré un succès international (*JORT* n° 33 du 24 avril 2001, p. 946).

[8] Article 47 bis § 1er de la loi n° 2009-33 du 23 juin 2009 modifiant et complétant la loi n° 94-36 du 24 février 1994 relative à la propriété littéraire et artistique (*JORT* n° 52 du 30 juin 2009, p. 1724).

[9] *JORT* n° 52, 30 juin 2009, p. 1724.

[10] *Op. cit.*

artistes qu'ils soient compositeurs ou musiciens interprètes. Le respect des intérêts économiques des auteurs et des interprètes permet de leur assurer les moyens financiers grâce auxquels ils pourront se consacrer à leur art et qui peuvent se révéler nécessaires à la réalisation de certaines créations artistiques ce qui est le cas des vidéoclips qui exigent un financement considérable. Les droits moraux des artistes comprennent quant à eux le respect de l'intégrité des œuvres musicales et la mention du nom du compositeur et de l'interprète sur chaque exemplaire de l'œuvre ou à l'occasion de chaque interprétation. Cette garantie du respect du lien existant entre une musique et son auteur ou son interprète encourage le travail artistique. Rassuré sur le devenir de son œuvre ou de son interprétation, assuré que le lien qui existe entre lui et son œuvre sera préservé, l'artiste pourra produire dans un climat de sécurité et avec la garantie que toute atteinte au fruit de son labeur pourra être sanctionnée par la loi.

Ce rôle de la loi dans la reconnaissance des droits moraux et patrimoniaux des auteurs et interprètes est complété par l'action de l'Organisme tunisien des droits d'auteur et des droits voisins (OTDAV). La création de cet organisme témoigne également d'une évolution du droit tunisien dans le sens de la prise en considération des intérêts des auteurs mais aussi des interprètes. Cette évolution s'est traduite sur le plan institutionnel par l'évolution des organismes de gestion collective qui se sont succédé en Tunisie. Créée en 1968, l'association dénommée Société des auteurs et compositeurs de Tunisie (SODACT) a été chargée, selon le procès-verbal de sa réunion constitutive, « de la défense des intérêts moraux et matériels des auteurs et compositeurs de Tunisie ». L'article 1e du décret n° 68-283 du 9 septembre 1968 réglementant la gestion des intérêts moraux et matériels des auteurs et compositeurs de Tunisie[11] confia à cette association « la gestion des droits ainsi que la défense des intérêts moraux et matériels des auteurs et compositeurs de Tunisie ».

La SODACT fut remplacée en 1996 par l'Organisme tunisien de protection des droits d'auteur (OTPDA), créé par l'article 48 de la loi n° 94-36 du 24 février 1994 relative à la propriété littéraire et artistique sous forme d'établissement public à caractère industriel et commercial bénéficiant d'une personnalité civile et d'une autonomie financière, placé sous la tutelle du ministère chargé de la culture et chargé notamment de percevoir et de répartir les droits d'auteur[12]. En 2013, l'OTPDA fut à son tour remplacé par l'Organisme tunisien des droits d'auteur et des droits voisins (OTDAV)[13]. L'OTDAV est un établissement public à caractère non administratif qui bénéficie de la personnalité juridique et de l'autonomie financière et qui est placé sous la tutelle du ministère chargé de la culture[14]. Cet organisme a notamment pour

---

[11] *JORT* n° 37 des 6-10 septembre 1968, p. 997.

[12] Article 25 du décret n° 96-2230 du 11 novembre 1996 fixant l'organisation administrative et financière de l'organisme tunisien de protection des droits d'auteur et ses modalités de fonctionnement (*JORT* n° 94 du 22 novembre 1996, p. 2345).

[13] Décret n° 2013-2860 du 1er juillet 2013, relatif à la création de l'organisme tunisien des droits d'auteur et des droits voisins et fixant son organisation administrative et financière et ses modalités de fonctionnement (*JORT* n° 57 du 16 juillet 2013, p. 2187).

[14] Article 1er du décret n° 2013-2860 du 1er juillet 2013.

mission « de sauvegarder les droits d'auteur et les droits voisins et de défendre les intérêts matériels et moraux des titulaires de ces droits »[15].

Outre leur rôle dans l'encouragement de la création musicale, les lois et les institutions culturelles sont également fortement impliquées dans la préservation du patrimoine musical.

1.2. La préservation du patrimoine musical

L'essor musical ne saurait être envisagé sans la préservation des spécificités de la musique tunisienne à laquelle contribuent différentes institutions culturelles. Qu'elles soient étatiques ou privées, ces structures traduisent une conscience des Tunisiens de l'importance de leur patrimoine et de sa richesse, de son impact sur la préservation de l'identité culturelle, de son impact sur le maintien du lien intergénérationnel, de sa contribution au rayonnement culturel de la Tunisie et de son rôle économique. Le conservatoire national de musique[16] et les conservatoires privés contribuent ainsi à la transmission du patrimoine musical et à la formation de nouveaux talents qui pourront à leur tour contribuer à l'émergence d'un patrimoine futur.

Il convient par ailleurs de souligner l'importance du rôle joué par le Centre des musiques arabes et méditerranéennes (CMAM) dans la préservation du patrimoine musical tunisien. Dès sa création en 1992 en vertu de l'article 63 de la loi n° 92-122 du 29 décembre 1992 portant loi de finances pour la gestion 1993[17], le Centre des musiques arabes et méditerranéennes a notamment eu pour missions « de contribuer à la sauvegarde du patrimoine musical »[18], « d'œuvrer à l'établissement du patrimoine musical à la réalisation et la diffusion de toute recherche ou étude y afférente »[19], « de veiller à collecter et à sauvegarder les instruments de musique et à préparer les études y afférentes »[20] et « d'œuvrer au développement du fonds de la phonothèque nationale par la collecte des enregistrements musicaux arabes, méditerranéens et autres »[21].

La mission de préservation du patrimoine musical confiée au CMAM a été envisagée dans une vision de complémentarité entre patrimoine existant et patrimoine futur. La musique y est en outre envisagée selon une approche prenant en considéra-

---

[15] Article 3 du décret n° 2013-2860 du 1er juillet 2013.

[16] Le Conservatoire national de musique et de danse a été créé par l'article 70 de la loi n° 84-84 du 31 décembre 1984 portant loi de finances pour l'année 1985 (*JORT* n° 79 des 28-31 décembre 1984, p. 2950). Son appellation a été modifiée par le décret n° 92-2215 du 31 décembre 1992, portant changement d'appellation de certains établissements publics (*JORT* n° 88 du 31 décembre 1992, p. 1856) pour devenir le Conservatoire national de musique.

[17] *JORT* n° 88 du 31 décembre 1992, p. 1673.

[18] Article 3 du décret n° 94-2137 du 10 octobre 1994, portant organisation et modalités de fonctionnement du Centre des musiques arabes et méditerranéennes palais du Baron d'Erlanger de Sidi Bou Saïd (*JORT* n° 84 du 25 octobre 1994, p. 1723)

[19] *Ibid.*

[20] *Ibid.*

[21] *Ibid.*

tion la musique tunisienne et la musique arabe et comprenant une ouverture à la musique des pays méditerranéens. Le CMAM a en effet été créé en tant qu'« établissement sous forme d'un complexe culturel multidisciplinaire consacré à la musique dans ses différents domaines »[22] qui « réunit dans le cadre d'une vision globale et intégrée les activités scientifiques et intellectuelles et la programmation musicale »[23] et qui comprend parmi ses centres d'intérêt « le patrimoine musical et la création musicale contemporaine en Tunisie, dans le monde arabe et dans les pays riverains de la Méditerranée »[24].

Le CMAM contribue à préserver le patrimoine à travers le fonds d'enregistrements musicaux présent dans la phonothèque qui réunit des enregistrements anciens de différents genres musicaux constitutifs du répertoire tunisien. La procédure du dépôt légal des œuvres musicales confiée à ce centre permet d'enrichir constamment ce fonds par des œuvres musicales susceptibles d'intégrer le patrimoine futur. Le CMAM est en outre doté d'un Conseil scientifique et artistique qui comprend parmi ses missions celle de « présenter les recommandations et les suggestions visant à promouvoir la création musicale et artistique »[25].

D'autres structures étatiques jouent un rôle important dans la préservation du patrimoine musical tunisien tout en contribuant à apporter leur soutien et leur encouragement à la création musicale contemporaine. Nous évoquerons à ce titre le rôle de l'établissement de la radio tunisienne créé en vertu du décret n° 2007-1867 du 23 juillet 2007, portant création, organisation administrative et financière et modalités de fonctionnement de la « radio tunisienne »[26]. Il s'agit d'un établissement public à caractère non administratif soumis à la tutelle du ministre chargé de la communication[27] et qui a notamment pour mission de « conserver et numériser les archives radiophoniques »[28]. Nous évoquerons également le rôle de l'établissement de la télévision tunisienne créé en vertu du décret n° 2007-1868 du 23 juillet 2007, portant création, organisation administrative et financière et modalités de fonctionnement de la « télévision tunisienne »[29]. La télévision tunisienne a été créée sous forme d'établissement public à caractère non administratif soumis à la tutelle du ministre chargé de

---

[22] *Ibid.*

[23] *Ibid.*

[24] *Ibid.*

[25] Article 12 du décret n° 2012-1959 du 4 septembre 2012 fixant l'organisation administrative et financière et les modalités de fonctionnement du centre des musiques arabes et méditerranéennes, *JORT* n° 76 du 25 septembre 2012, p. 2223. Notons que ce décret a abrogé les dispositions du décret n° 94-2137 du 10 octobre 1994, portant organisation et modalités de fonctionnement du Centre des musiques arabes et méditerranéennes palais du Baron d'Erlanger de Sidi Bou Saïd.

[26] *JORT* n° 60 du 27 juillet 2007, p. 2591.

[27] Article 1er du décret n° 2007-1867 du 23 juillet 2007.

[28] Article 3 du décret n° 2007-1867 du 23 juillet 2007.

[29] *JORT* n° 60 du 27 juillet 2007, p. 2601.

la communication[30] et qui a notamment pour mission de « conserver et numériser les archives audiovisuelles »[31].

À cette contribution des lois et des institutions à l'essor artistique à travers la préservation du patrimoine musical et l'encouragement de la création musicale, s'ajoute un autre aspect du jeu d'influences entre artistes, lois et institutions. Il s'agit de l'influence des artistes sur le développement des lois et des institutions.

2. L'influence des artistes sur le développement des lois et des institutions

Le développement des lois et des institutions relatives au secteur de la musique et de l'art en général est lié aux changements sociaux, à l'impact – positif et parfois négatif – du progrès technologique sur l'Art, aux attentes des artistes et à leurs revendications, au développement des échanges relatifs aux créations artistiques, etc. Ce développement des lois et des institutions est également influencé par les artistes. Par le biais de leurs revendications et par leur engagement personnel dans la vie culturelle, les artistes influent sur le devenir culturel de la société.

L'histoire de la Tunisie comprend plusieurs illustrations de l'influence des artistes sur le développement des lois et des institutions. Cette influence traduit l'engagement des artistes tunisiens, leur implication, leur militantisme dans le but d'améliorer la condition de l'artiste, d'œuvrer au développement de l'Art, de contribuer au rayonnement d'une Tunisie indépendante et culturellement épanouie, de participer à la constitution d'une pensée musicologique fondée sur des bases scientifiques solides et sur une connaissance musicale approfondie, etc.. L'influence des artistes sur le développement des lois et des institutions traduit en d'autres termes la conscience citoyenne des artistes de l'importance du rôle qu'ils jouent sur le plan national mais également sur le plan civilisationnel.

En Tunisie, des musiciens et des musicologues ont joué un rôle important qu'il convient de souligner tout en le reliant à l'action de personnalités provenant d'horizons différents qu'il s'agisse de personnalités politiques, de représentants du peuple, de juristes, de responsables administratifs, d'hommes de lettres, etc.. L'influence des artistes sur le développement des lois et des institutions est à placer dans un contexte de rôles complémentaires des différents acteurs de la scène politique, sociale, juridique et culturelle. Le développement des lois et des institutions est en cela un miroir de cette exigence de cohésion sociale, de conscience citoyenne des enjeux culturels, d'aspiration commune au développement culturel durable et d'effort collectif en vue d'assurer le rayonnement culturel de la Tunisie sur le plan international.

Nous aborderons l'influence des artistes sur le développement des lois et des institutions en distinguant entre deux périodes. Ainsi évoquerons-nous l'action des musiciens et des musicologues avant l'indépendance et leur action après l'indépendance en gardant présente à l'esprit l'idée que cette distinction d'ordre chronologique ne

---

[30] Article 1er du décret n° 2007-1868 du 23 juillet 2007.

[31] Article 3 du décret n° 2007-1868 du 23 juillet 2007.

saurait occulter l'existence d'une complémentarité entre ces différentes actions et l'inscription de leur impact dans la durée.

2.1. L'action des musiciens et des musicologues avant l'indépendance

Chaque œuvre musicale est susceptible de traduire une revendication pouvant participer à l'élan national en vue de l'amélioration de la condition de l'ensemble de la société tunisienne et se répercutant sur les lois et institutions tunisiennes. L'exemple nous en est donné par les chansons revendiquant l'indépendance de la Tunisie qui s'inscrivent dans l'élan national ayant conduit à l'indépendance et au développement du cadre légal et institutionnel tunisien qui s'en est suivi. L'influence des artistes sur le développement des lois et des institutions naît alors de la complémentarité des actions individuelles et relève de l'impact de la musique sur l'organisation de la société.

Cette influence du musical sur le social ne se limite pas à ce seul aspect. Il convient également de mettre en exergue l'impact de certaines actions individuelles sur le développement du cadre légal et institutionnel. L'engagement de certains artistes, leur travail, les initiatives qu'ils ont pu entreprendre, leur conscience de l'importance et de la richesse de la musique tunisienne – et plus généralement de la musique arabe – ainsi que des dangers qui la guettent en raison de sa transmission par la voie de l'oralité, ont eu un impact non négligeable sur le plan juridique. Des musiciens et des musicologues mais aussi des hommes de lettres ont influencé le devenir musical tunisien et ont joué un rôle de premier ordre dans le développement de la musicologie tunisienne et dans la préservation du patrimoine musical tunisien. Leur influence sera notamment perceptible à travers l'étude de l'histoire des institutions suivantes : la Rachidia et le Centre des musiques arabes et méditerranéennes.

Durant la période du protectorat, l'action menée en vue de l'obtention de l'indépendance s'est organisée autour d'une conscience des tunisiens des spécificités de leur identité nationale. C'est ainsi que le port de la chéchia, par exemple, a pris une coloration militante exprimant de manière palpable sur le plan vestimentaire le rattachement à l'identité tunisienne. Les Tunisiens ont pris par ailleurs conscience de l'importance de la musique dans la transmission de messages politiques à travers les chansons patriotiques ; ils ont également mesuré l'importance de préserver les spécificités de la musique tunisienne et de lutter contre la détérioration du goût musical.

Cette conscience des Tunisiens de l'importance de la préservation de leur patrimoine musical a conduit vers la création d'une association qui jouera un rôle important dans la sauvegarde, l'enseignement, la transmission et l'enrichissement du patrimoine musical tunisien qu'il s'agisse du corpus constitué par les pièces composant le *mālūf* ou des modes et des rythmes tunisiens. Cette association n'est autre que la Rachidia créée en 1934.

La Rachidia est née d'un engagement citoyen en faveur de la préservation du patrimoine musical tunisien ; elle est le fruit de l'implication de personnes qui se sont réunies autour d'un projet commun qu'ils ont jugé utile pour la culture tunisienne et pour l'indépendance de la Tunisie. Certaines de ces personnes étaient des musiciens sans lesquels la création de l'association n'aurait pas été envisageable car seuls des musiciens confirmés et connaissant les spécificités voire les *secrets* de la musique tunisienne auraient pu garantir la réussite d'un tel projet. Ḵmayyis Tarnān participa ainsi à la fondation de la Rachidia et y enseigna le *mālūf* et Muḥammad Trīkī y fut chef d'orchestre et directeur artistique. Mais il convient d'ajouter que la Rachidia est née d'un élan qui a rassemblé hommes de lettres, artistes, hommes politiques, employés dans différents ministères dont le ministère de la justice et le ministère des finances, enseignants, commerçants, journalistes, avocats, médecins, etc.. Parmi ces hommes, figure Bil-Ḥassan Laṣram qui a eu l'initiative d'offrir à l'association de la Rachidia une aile de sa maison située à la rue du Pacha (Abassi et Hamzaoui, 1991, p. 48).

Durant le protectorat, une autre action individuelle qui évolua vers un travail de collaboration est également à souligner. Il s'agit de l'initiative du Baron Rodolphe d'Erlanger de s'installer en Tunisie et de consacrer son temps à la musique arabe. Mécène, artiste peintre orientaliste et musicologue, le Baron d'Erlanger influença les institutions culturelles à plus d'un titre. En bâtissant le palais Ennejma Ezzahra sur le Mont du Phare (Jbal al-Manār) au village de Sidi Bou Saïd, il édifia un cadre architectural qui contribuera au développement de l'activité musicale en Tunisie et à la préservation du patrimoine musical. Dans ce palais qui sera classé monument historique par le décret n° 89-577 du 29 mai 1989[32] en raison « de la qualité exceptionnelle de son architecture [... et] de sa valeur du point de vue de l'histoire de l'art »[33], le Baron d'Erlanger entreprit des recherches musicologiques avec plusieurs collaborateurs parmi lesquels Mannūbī Snūsī joua un rôle particulièrement important. S'intéressant à la musique tunisienne et élargissant son champ d'intérêt à l'ensemble de la musique arabe, le Baron d'Erlanger entreprit la rédaction avec ses collaborateurs de l'ouvrage *La musique arabe*, publié en six tomes par les éditions Geuthner. Le Baron d'Erlanger organisa de nombreux concerts dans son palais, y constitua une importante collection d'instruments de musique et de tableaux et rassembla un nombre considérable d'enregistrements et de documents se rapportant à la musique arabe, à sa correspondance avec des musicologues ou des personnalités culturelles et politiques, etc. Le palais Ennejma Ezzahra abrite aujourd'hui le Centre des musiques arabes et méditerranéennes. Les collections d'instruments de musique rassemblées par le Baron d'Erlanger, ses peintures, les enregistrements et les documents qu'il a conservés, alimentent le musée et la phonothèque. Le Baron d'Erlanger a non seulement inspiré le lieu, mais il a également contribué par son travail à la préservation du patrimoine musical tunisien et arabe. En gérant son palais comme s'il s'agissait d'une institution culturelle – ce dont témoignent de nombreux documents présents dans les archives du palais – et en exerçant une activité culturelle à laquelle ont collaboré plusieurs musicologues et musiciens, il a préparé le terrain pour la création d'une institution qui sera le Centre des musiques arabes et méditerranéennes.

---

[32] *JORT* n° 40 du 13 juin 1989, p. 937.

[33] Selon l'article 1er du décret n° 89-577 du 29 mai 1989, relatif au classement du palais « Nejma Ezzahra » et de son parc : « il est institué sur le territoire de la commune de Sidi Bou Saïd un ensemble monumental et son parc classé en raison de la qualité exceptionnelle de son architecture, de son mobilier, de ses jardins et de son environnement, de sa valeur du point de vue de l'histoire de l'art et des techniques et de son intérêt du point de vue esthétique appelé "Palais Nejma Ezzahra". Ce classement constitue un acte de protection et de valorisation d'un ensemble monumental et de son parc localisés dans un site classé du patrimoine historique national et inscrit sur la liste du patrimoine mondial ».

L'influence du Baron Rodolphe d'Erlanger sur le patrimoine culturel tunisien dépassera le cadre de sa propriété privée puisqu'il œuvra à la préservation de l'esthétique du village de Sidi Bou Saïd relativement à laquelle sera adopté le décret du 28 août 1915. Le Baron d'Erlanger s'engagea également pour une extension de la protection notamment à la Médina de Tunis qui sera protégée par les décrets du 3 mars 1920 et du 13 septembre 1921 et à la Médina de Kairouan qui bénéficiera de la protection accordée par le décret du 18 octobre 1921.

Ces actions individuelles menées durant le protectorat verront leurs résultats se prolonger après l'indépendance et seront complétées par des actions plus récentes.

2.2. L'action des musiciens et des musicologues après l'indépendance

Plusieurs institutions sont apparues après l'indépendance au sujet desquelles l'action de musiciens et de musicologues est à souligner. Il s'agit notamment de la Société des auteurs et compositeurs de Tunisie (SODACT), créée en 1968 et dont la direction fut confiée dès sa création à Ṣālaḥ al-Mahdī qui s'est distingué par son activité musicale, par ses connaissances dans le domaine de la musicologie et par sa connaissance du droit puisqu'il exerça à partir de 1951 et durant de nombreuses années le métier de juge. Ṣālaḥ al-Mahdī assura la présidence du conseil d'administration de la SODACT, tandis que le président Habib Bourguiba en assura la présidence d'honneur, témoignant par cela de l'importance de la création littéraire et artistique et de l'engagement de la Tunisie dans la voie du développement du cadre institutionnel assurant la défense des droits des auteurs. La SODACT comprendra parmi ses sociétaires plusieurs musiciens et compositeurs dont : Muḥammad Jammūsī, Riḍā al-Kal'ī, 'Alī Riāḥī, 'Abd al-kādir Ṣrārfī et Muḥammad Trīkī.

L'évolution des institutions liées à la musique a par la suite connu un tournant important avec la création de l'Institut Supérieur de Musique de Tunis qui permit le développement de la musicologie tunisienne tout en assurant la transmission des spécificités musicales tunisiennes. La création de l'Institut Supérieur de Musique de Tunis est reliée au projet de Mahmoud Guettat de développer la musicologie tunisienne, de former les chercheurs tunisiens à cette discipline, d'œuvrer à la préservation du patrimoine musical tunisien et plus généralement de participer à la sauvegarde et à la transmission du patrimoine musical arabo-musulman (Guettat, 1987). Mahmoud Guettat œuvrera à la concrétisation de son projet, militera en vue de sa réussite et assurera la direction de l'Institut Supérieur de Musique de Tunis dès sa création et ce durant plusieurs années. Cet institut fut créé par l'article 135 de la loi n° 82-91 du 31 décembre 1982 portant loi de finances pour la gestion 1983[34] selon lequel : « est créé un établissement public dénommé "Institut Supérieur de Musique". Cet établissement relevant du Ministère des Affaires culturelles est doté de la personnalité civile et de l'autonomie financière et d'un budget rattaché pour ordre au Budget de l'État ». L'ar-

---

[34] *JORT* n° 84 du 31 décembre 1982, p. 2876.

ticle 2 du décret n° 84-862 du 26 juillet 1984 portant organisation de l'Institut Supérieur de Musique[35] détermina ses missions comme suit : « L'Institut Supérieur de Musique a pour mission :

a/ de former des cadres dans le domaine musical : compositeurs, instrumentistes, chanteurs, chercheurs, critiques, professeurs d'éducation musicale…

b/ de promouvoir la culture musicale et de développer la création et la recherche fondamentale et expérimentale ;

c/ de participer à la conservation, à l'étude et à la diffusion du patrimoine musical ;

d/ d'assurer le recyclage des agents en exercice dans le domaine musical. »

L'organisation de l'Institut Supérieur de Musique de Tunis connut certaines modifications apportées par le décret n° 90-1383 du 27 août 1990 portant modification du décret n° 84-862 du 26 juillet 1984 relatif à l'organisation de l'Institut Supérieur de Musique[36] ainsi qu'un transfert de tutelle en 1998 du Ministère de la culture au Ministère de l'enseignement supérieur[37].

La création de l'Institut Supérieur de Musique de Tunis sera suivie par la création d'autres établissements du même type dont l'Institut Supérieur de Musique de Sousse et l'Institut Supérieur de Musique de Sfax créés par le décret n° 99-559 du 8 mars 1999 portant création d'établissements d'enseignement supérieur et de recherche[38].

L'Institut Supérieur de Musique de Tunis a formé des musicologues qui ont contribué au développement de la musicologique tunisienne à travers leurs activités de recherche et d'enseignement. Certains de ces musicologues occuperont des postes de direction d'établissements publics tels que l'Institut Supérieur de Musique dont ils sont diplômés (Mohamed Zinelabidine, Saifallah Ben Abderrazak et actuellement Samir Becha)[39], le Centre des musiques arabes et méditerranéennes (Mourad Sakli, Soufiane Feki, Anis Meddeb), ainsi que la direction de festivals importants tels que le festival international de Carthage (Mourad Sakli, Mohamed Zinelabidine). Deux musicologues diplômés de l'Institut Supérieur de Musique de Tunis ont assuré la fonction de Ministre chargé de la culture. Il s'agit de Mourad Sakli nommé Ministre de la culture de janvier 2014 à février 2015 et de Mohamed Zinelabidine actuellement Ministre des affaires culturelles, depuis août 2016. À travers leurs fonctions, les musicologues tunisiens témoignent de l'évolution de la musicologie. Cette discipline a évolué en Tunisie, elle est reconnue en tant que discipline formatrice et en tant que champ de la connaissance scientifique contribuant à l'essor culturel de la nation.

---

[35] *JORT* n° 46 des 7-10 août 1984, p. 1720.

[36] *JORT* n° 58 du 14 septembre 1990, p. 1273.

[37] Décret n° 98-2006 du 19 octobre 1998 portant transfert de tutelle de deux établissements publics, *JORT* n° 85 du 23 octobre 1998, p. 2092.

[38] *JORT* n° 24 du 23 mars 1999, p. 439.

[39] C'est également le cas pour l'Institut Supérieur de Musique de Sousse et pour celui de Sfax.

Conclusion

Les jeux d'influences ainsi abordés entre artistes, lois et institutions et envisagés notamment du point de vue du domaine musical tout en montrant l'impact des lois et des institutions sur le développement culturel de la société, nous permettent de souligner l'influence de l'action des artistes sur le devenir de la société. En observant le paysage institutionnel tunisien et le corpus législatif applicable à l'art nous relevons leur développement progressif et souhaitons plus de développement en vue d'apporter des réponses législatives et institutionnelles aux attentes de la vie artistique qui évoluent continuellement en fonction du développement technologique et du renouveau constant de la créativité artistique. En observant l'influence des artistes sur les lois et sur les institutions, nous ne pouvons qu'appeler à une plus grande conscience citoyenne de l'importance du rôle des artistes dans la société. Cette conscience citoyenne devrait conduire vers le respect des droits des auteurs d'œuvres musicales contemporaines et vers une insertion du patrimoine musical dans le circuit d'une industrie musicale inscrite dans une optique de développement culturel durable.

Bibliographie

ABASSI, Hamadi et Sleh HAMZAOUI, 1991, *Tunis chante et danse : 1900-1950*, Tunis, Les éditions de la Méditerranée Alif.

BERTRAND, André, 1999, *Le droit d'auteur et les droits voisins*, Paris, Dalloz ; Beyrouth, Delta, 2e éd.

BOUHADIBA, Lamia, 2015, *La musique et ses droits : pour une* approche introspective *du fait musical, étude de droit comparé*, thèse de doctorat en Arts et sciences de l'art sous la direction de Costin Miereanu et Mohamed Zinelabidine, Paris, Université Paris 1 Panthéon-Sorbonne.

COLOMBET, Claude, 1992, *Grands principes du droit d'auteur et des droits voisins dans le monde : approche de droit comparé*, Paris, Unesco, Litec, 2e éd.

GUETTAT, Mahmoud, 1992, *L'Institut Supérieur de Musique : Le Guide* (dépliant officiel- trilingue), 1e éd. Tunis, ISMT, 1987, 16p. ; 2e éd. Tunis, ISMT, 54 p.

ḴWĀJA, Aḥmad, 1998, *adh-Dhākira al-jamā'iyya wa at-taḥawwulāt al-ijtimā'iyya min mir'āt al-ughniya ash-sha'biyya : ḥālat Tūnis al-ḥāḍira, ḳubayla al-ḥimāya wa athnā'hā wa ba'dahā* [La mémoire collective et les changements sociaux à travers la chanson populaire : l'exemple de la Tunisie avant, pendant et après le protectorat], Tunis, Les éditions de la Méditerranée Alif, Faculté des Sciences humaines et sociales de Tunis.

LINANT DE BELLEFONDS, Xavier, 1997, *Droits d'auteur et droits voisins : propriété littéraire et artistique*, Paris, Dalloz, coll. « Encyclopédie Delmas pour la vie des affaires », 2e éd.

LUCAS, André, 2015, *Propriété littéraire et artistique*, Paris, Dalloz, coll. « Connaissance du droit ».

L'image de la musique kabyle dans les écrits musico-orientalistes de Francisco Salvador-Daniel et Jules Rouanet

Nacim KHELLAL*

Musicographes et orientalistes, Francisco Salvador-Daniel et Jules Rouanet peuvent être considérés comme les pionniers de l'étude de la musique kabyle[1] en Algérie. En 1867, Francisco Salvador-Daniel publie « *Notice* sur la musique kabyle », un travail présenté comme complément d'étude dans un ouvrage d'Adolphe Hanoteau (1867) sur les *Poésies populaires de la Kabylie du Jurjura*. Francisco Salvador-Daniel analysa les modes utilisés dans la musique kabyle et les compara aux modes grecs. Il en a présenté une quinzaine de transcriptions musicales. Quant à Jules Rouanet, il aborda la musique kabyle dans un chapitre sur la musique arabe dans le Maghreb, publié en 1922, dans l'*Encyclopédie de la musique et dictionnaire du conservatoire* (Rouanet, 1922). Il décrivit la « société des kabyles » et distingua complètement leur musique de celle dite « arabe » et surtout de la musique « hispano-mauresque ». Il mit l'accent sur l'influence de la musique dite moderne à son époque, exercée sur les mélodies populaires kabyles. Nous avons scindé cet article en deux parties distinctes : une première partie où nous relatons les écrits autour de cette musique, avec un défilement chronologique des plus anciens aux plus récents ; une seconde, où nous essayons à partir des deux études précitées, de déterminer la part de l'intérêt accordé à la musique kabyle par rapport à l'intérêt général pour les musiques du Maghreb, tout en cernant ses traits caractéristiques, tels que représentés précédemment dans lesdites études en les examinant à la lumière des études et analyses actuelles de cette musique.

---

* Docteur en musicologie, maître de conférences à l'École normale supérieure – Kouba, Alger. khellal_nacim@yahoo.fr.

[1] Kabyle : de la région de Kabylie située au Nord-Est d'Alger, sa population est berbérophone (langue kabyle), de culture et de traditions Amazigh.

1. Principaux travaux sur la musique kabyle et leur chronologie

Avant d'aborder le sujet sur la part de la musique kabyle au sein des écrits des orientalistes francophones, il convient de noter l'attention portée par de nombreux chercheurs aux musiques d'Orient et d'Afrique du Nord (Maghreb), en particulier, en mettant en exergue l'attrait de plusieurs musicographes, musicologues et hommes de lettres tels que : Félicien David, Francisco Salvador-Daniel, Béla Bartók, Henry George Farmer et Rodolphe d'Erlanger.

Berbérophones et arabopnones (Guettat, 1984, p. 141-167 ; 1986, p. 47-49), ces populations vivaient ensemble et contribuèrent à constituer un grand socle musical longtemps appelé musique arabe par les orientalistes. Or, ce socle est constitué d'une mosaïque de cultures musicales. La musique kabyle représente une composante de cette musique du Maghreb. Elle a été le sujet de quelques travaux, parfois à travers sa poésie et parfois à travers les chants pratiqués dans différentes circonstances de la vie rurale d'antan.

Les plus anciennes transcriptions des poèmes kabyles ont été publiées en 1829 par l'Américain William Brown Hodgson (1800-1871), dans son ouvrage *A collection of Berber songs and tales with their literal translations* (Redjala et Semmoud [en ligne]), composé de textes en langue kabyle, transcrits en écriture arabe, suivis de leurs traductions en anglais.

En 1863, Francisco Salvador-Daniel publia un album de chansons arabes, mauresques et kabyles (Daniel, 1863), présentant des chants arrangés avec adaptation des paroles en français et accompagnement harmonisé au piano.

Figure numéro 1 : page de garde de l'album de chansons arabes, mauresques et kabyles (Daniel, 1863)

Plus tard en 1867, Adolphe Hanoteau publia ses *Poésies populaires de la Kabylie du Jurjura*. On y trouve un complément d'étude sous-titré : « Notice sur la musique kabyle » accompagné d'une quinzaine de transcriptions musicales, un travail signé par Francisco Salvador-Daniel.

Un autre travail sur la poésie kabyle, est celui publié dans la *Revue Africaine* (1889-1890) : « chansons de smail azikkiw » par Dominique Luciani (Luciani, 1900, p. 44-59).

En 1904, un kabyle nommé Amar ou Saïd Boulifa publia un recueil de poésie kabyle (Boulifa, 1904), où il s'insurge contre les conclusions intentionnées de Hanoteau, faites sur la société kabyle. Ce travail annoté est précédé d'une étude sur la femme kabyle et d'une notice sur les chants et airs de musique kabyles.

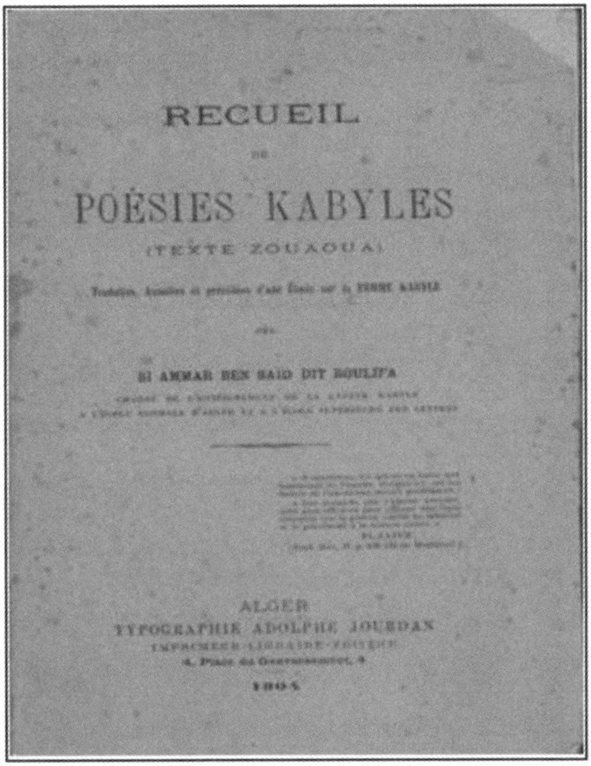

Figure numéro 2 : couverture du livre de Boulifa (1904)

Suite à son voyage en Algérie en 1913, le Hongrois Béla Bartók publia en 1917 puis en 1920, une étude ethnomusicologique consacrée à la musique populaire dans la région de Biskra au sud algérien intitulée : « la musique populaire des arabes de Biskra et des environs », dans laquelle nous trouvons trois airs de danse kabyles (Bartók, 1961).

En 1922, Jules Rouanet, musicologue français, directeur de l'école de musique du petit Athénée à Alger et collaborateur du journal *La dépêche algérienne*, publie : « La musique arabe dans le Maghreb » dans l'*Encyclopédie de la musique et dictionnaire du conservatoire* (Rouanet, 1922, p. 2885-2892). Dans ce travail qui retient notre attention, Rouanet réserve quelques pages à la musique des kabyles, accompagnées d'un nombre important de transcriptions musicales.

2. La part de la musique kabyle au sein des écrits des franco-orientalistes

Après avoir rapporté les principaux écrits des musico-orientalistes sur la musique kabyle, nous souhaitons étudier la part de la musique kabyle au sein des écrits des franco-orientalistes, puis en cerner les traits caractéristiques, en nous basant sur les deux principaux travaux que sont la « Notice sur la musique kabyle » de Francisco Salvador-Daniel et « La musique des kabyles » de Jules Rouanet.

2.1. Notice sur la musique kabyle de Francisco Salvador-Daniel

Complément de recherche de l'ouvrage de Hanoteau *Poésies populaires de la Kabylie du Jurjura*, paru en 1867, cette notice et avant d'être publiée telle quelle, a paru, en premier lieu, sous la forme d'articles dans la *Revue Africaine*. Ce travail est sans doute le premier du genre à avoir présenté une étude à la fois littéraire, linguistique et sociologique de chants kabyles, en plus d'une quinzaine de transcriptions de ces chants, sans arrangements ou adaptations aux instruments occidentaux. Ci-dessous quelques exemples.

Figure numéro 3 : Partition dans la notice de Francisco Salvador-Daniel

(1986, p. 119)

Figure 4 : Suite Partions (Daniel. 1986, p. 120-121)

Contrairement à sa notice sur la musique kabyle, l'auteur présente dans *L'album des chansons arabes, mauresques et kabyles* publié, en 1863, douze chants, dont quatre sont des chants kabyles, transcrits avec adaptation des paroles en français et accompagnement de piano qui reproduit le son des tambours. Ces quatre chansons en question sont : *Le chant de la meule, Klaa beni abbes, Stamboul* et *Zohra.*

Figure numéro 4 : couverture et 1e page de la partition « Stamboul » (Daniel, 1863)

Figure numéro 5 : couverture et 1e page de la partition « Zohra » (Daniel, 1863)

Figure numéro 6 : couverture et 1re page de la partition « Le chant de la meule » (Daniel. 1863)

Figure numéro 7 : couverture et 1e page de la partition « Klaa Beni Abbes » (Daniel, 1863)

Dans la première page de la notice, l'auteur affirme que les kabyles utilisent dans leur musique les mêmes douze modes de la musique arabo-andalouse. Celle-ci qui est une musique savante citadine, peut avoir subi des influences de la part des musiques des populations de différentes ethnies qui vivaient ensemble en Andalousie. Or, la musique kabyle est une musique traditionnelle villageoise circonstancielle. Il est donc peu probable que cette musique kabyle s'apparente à cette musique citadine.

On peut constater dans ce travail, qu'il y a omission de sources sur la provenance de ces chants et musiques et toutes les informations qui auraient pu rendre ce travail plus pertinent. Malgré cela, l'auteur nous fournit des informations portant sur les traits caractéristiques de cette musique, en la décrivant comme suit :

- Les deux éléments de la musique des kabyles sont la mélodie et le rythme, l'harmonie leur est complètement inconnue.
- Les kabyles ont aussi des modes, ou des gammes spéciales, affectées au caractère, au genre de la poésie qu'ils chantent (l'aspect modal de la musique kabyle).
- Les kabyles n'ayant pas d'écriture musicale, la transmission orale est le seul et unique moyen pour transmettre leur musique. Par conséquent, il cite plusieurs exemples sur les changements que subit une même mélodie chantée par deux chanteurs dans le même village ou dans deux villages différents, ces changements n'affectant que le texte et quelques détails dans la mélodie : « Toutefois cette variété, ces divergences de texte ne portent généralement que sur les détails et ne changent en rien le mode, ni, par conséquent, le caractère d'ensemble du morceau » (Daniel, 1986, p. 116).
- La continuité du même rythme tout au long de la chanson sans aucun changement, est également parmi les traits caractéristiques de cette musique traditionnelle kabyle.

Par contre, et parmi ses conclusions les plus controversées, il nie l'existence du quart de ton dans la musique algérienne qu'elle soit arabe, kabyle ou autre, ce qu'il affirme dans la citation suivante : « observant bien vite que je n'ai jamais trouvé dans la musique indigène ni tiers ni quart de tons » (Daniel, 1986, p. 117).

2.2. La musique chez les kabyles de Jules Rouanet

Jules Rouanet (fin XIXe – début XXe siècle) est considéré comme un spécialiste de la musique algérienne. Il s'établit à Alger en 1889, découvre le répertoire des « *nubates* » (dite musique classique maghrébine ou bien arabo-andalouse), dont il entreprend à partir de 1904 avec la collaboration de Yafil Edmond Nathan, Muḥammad Sfinja, Cheikh al-ʻArbī Binsārī et Omar Bakšī[2] une étude intitulée : *Répertoire de musique arabe et maure* (Yafil, 1905).

Dans la même année, Rouanet est nommé directeur de l'école de musique du petit Athénée d'Alger et participe au congrès des orientalistes à Alger.

En 1922, Rouanet publie « La musique arabe dans le Maghreb » dans l'Encyclopédie *de la musique et dictionnaire du conservatoire*, où il cite la musique kabyle. On note que cette étude est faite pour des raisons encyclopédiques, ce qui explique la brièveté de la description qu'il y fait de la musique kabyle au sein du travail global qu'est la musique du Maghreb.

Parmi les 126 pages écrites sur la musique du Maghreb, l'auteur ne consacre que quatre pages à la musique kabyle. Elles portent sur environ seize transcriptions musicales, entre chants et airs de danse.

D'après Rouanet, « la société berbère n'a presque pas évolué, elle était dans son époque, ce qu'elle était au temps des romains ! Et comme ils sont restés des agriculteurs et des guerriers, leurs agglomérations n'ont connu ni le luxe ni la splendeur… leurs mœurs et leurs goûts sont demeurés presque immuables… ». Il conclut : « la musique berbère est donc, en principe, très archaïque, sans ostentation, simple et rude » (Rouanet. 1922, p. 2885). Or, un tel jugement ne peut être objectif, vue la brièveté de son étude qui ne consacre que quatre pages à cette musique, et sa conclusion ne peut, par conséquent, être généralisée à toute la Kabylie qui compte déjà des centaines de villages à cette époque.

L'auteur cite les instruments qu'ils utilisaient notamment : la *ġayṭa*, le *bandīr*, le *ṭbal* et la flûte en roseau. Il décrit ensuite les thèmes musicaux des chansons de la couche ouvrière, qui sont courts, simples, d'un ambitus peu étendu. Il nous fournit également des informations sur les sujets des chants qui traitaient le vécu des kabyles, la terre, les intempéries et les attaques des envahisseurs. Les chants relatent les combats soutenus contre les « infidèles » ou les ennemis en général, les calamités publiques, les miracles d'un saint vénéré. L'auteur cite aussi les femmes qui, d'après lui, chantent beaucoup ce

---

[2] Muḥammad Sfinja, Cheikh al-ʻArbī Bansārī et Omar Bakšī sont des maîtres de la musique classique à l'école d'Alger, dite école *ṣan'a*.

qu'elles improvisent lors des différents travaux de ménage ou ceux des champs.

Même si Rouanet ne nous indique pas les appellations des genres musicaux kabyles, il cite les types ou les circonstances de leurs exécutions tels que : chants de travail, chants de bergers, chants de couche ouvrière, chants d'amour et musique des tambourinaires.

Visiblement, Rouanet s'intéressait beaucoup plus au répertoire arabo-andalous et, contrairement à Francisco Salvador-Daniel, il opère une distinction complète entre les deux musiques, mais n'écarte pas l'hypothèse de l'influence de la musique kabyle sur la musique arabo-andalouse quand il parle du mode *māyā*, qui est d'après lui d'origine berbère, comme le montre cette citation : « on ne trouve pas d'équivalent du maya maghrébin dans les gammes turques, arabes, persanes ou égyptiennes… Nous croyons le maya d'origine berbère, il est très pratiqué en Kabylie… » (Rouanet, 1922, p. 2918).

Rouanet conclut par une note pessimiste concernant la disparition de cette musique lorsqu'il dit : « il s'ensuivra que d'ici à fort peu de temps la musique kabyle aura disparu ou tout au moins aura perdu totalement son individualité » (Rouanet, 1922, p. 2886). Bien au contraire, cette musique reste très vivante de nos jours.

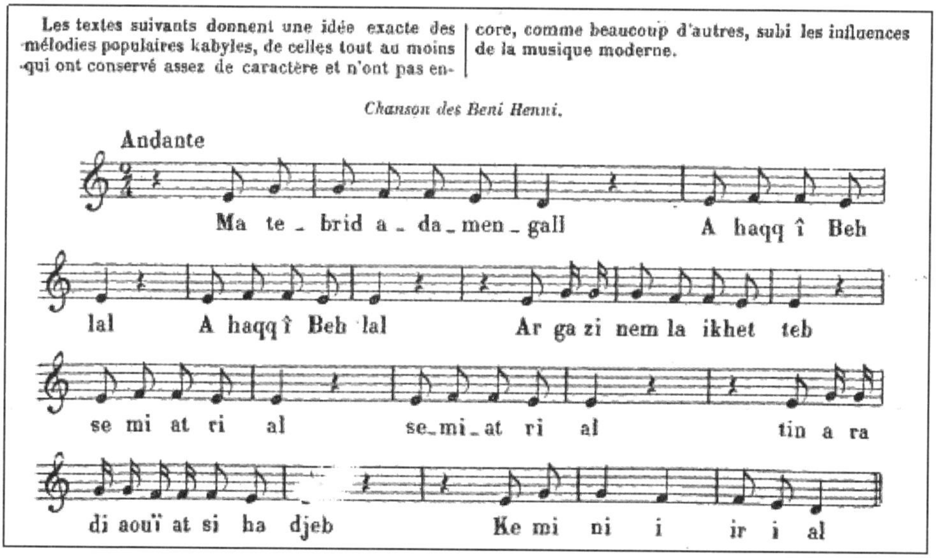

Figure numéro 8 : Chanson kabyle transcrite par J. Rouanet (1922, p. 2887)

En observant cette transcription d'une chanson kabyle, effectuée par Jules Rouanet, on peut lire au-dessus : « les textes suivants donnent une idée exacte des mélodies populaires kabyles, de celles tout au moins qui ont conservé assez de caractère et n'ont pas encore, comme beaucoup d'autres, subi les influences de la musique moderne » (Rouanet, 1922, p. 2887).

Nous retrouvons, de nos jours, ce même texte très ancien dans des reprises destinées aux fêtes de mariages, par de jeunes chanteurs et chanteuses kabyles, sur des tempos très vifs.

Comme je l'ai déjà précisé, cette musique reste très vivante de nos jours que ce soit sous ses formes traditionnelles, ou sous de nouvelles formes d'interprétation et avec des instruments de musique modernes[3].

3. Les études ethnomusicologiques récentes sur la musique kabyle

Parmi les travaux menés sur la musique kabyle après l'indépendance, citons :

1. Nadia Mecheri Saada, avec un mémoire de maîtrise de l'Université Paris-Sorbonne en 1979 intitulé « Chants traditionnels de femmes de grande Kabylie, étude ethnomusicologique ». Trois villages kabyles dans la wilaya de Tizi-Ouzou étaient la source du corpus de chants pour cette recherche : le village des Ath-Larbaa de la commune des Ath-Yanni, le village Ainsis de la commune de Zekri et le village des Ath-Mellal de la commune de Ain El Hemmam. Cette étude est la première étude spécifiquement musicologique portant sur les chants traditionnels de femmes kabyles.
2. Les travaux de Mehenna Mahfoufi, respectivement :
   - 2.1. « Quelques aspects de la musique dans la Kabylie traditionnelle », un mémoire de maîtrise de l'Université Paris-Sorbonne en 1981. Ce mémoire est autour de chants des Ath-Issaad dans la wilaya de Tizi-Ouzou.
   - 2.2. « Le répertoire musical d'un village berbère d'Algérie (Kabylie) », thèse de doctorat de l'Université Paris X Nanterre en 1991. Cette thèse comprend des enregistrements sonores et des indications sur les modes de notation strophique des paroles et synoptique des airs. L'étude contient huit chapitres où sont relatées des données ethnographiques, lexicales, poétiques et musicales et un chapitre consacré aux sonneurs et tambourinaires.
   - 2.3. « Chants de femmes en Kabylie : fêtes et rites au village, étude d'ethnomusicologie », nouvelle série N° 09, mémoire du CNRPAH, Ministère de la culture, Alger 2006. Un travail autour des chants de femmes de plusieurs villages notamment les villages des Ath-Hichem, Hidous, Ath-Issaad… entre autres. On y trouve des transcriptions musicales et surtout une description des rituels qu'elles accompagnent.
3. La thèse de magistère de Nacim Khellal intitulée « La structure rythmique et mélodique du chant folklorique kabyle en Algérie », soutenue à la Faculté de l'éducation spécifique de l'Université du Caire en 2005. Dans ce travail, l'auteur a

---

[3] Le répertoire berbérophone « se présente différemment selon chaque tribu. Amer et mélancolique, il sait aussi traduire la joie et la gaieté par le chant collectif et les battements de mains accompagnant les airs de danse. Foncièrement diatonique, il utilise une échelle peu étendue et puise dans des formes consacrées par la tradition, enrichies constamment d'improvisations, notamment de la part des femmes durant leurs travaux domestiques ou des champs. On distingue le genre kabyle avec de nombreux styles… » (Guettat, 1984, p. 148-149 ; Guettat, 1986, 47-48).

effectué une étude analytique des chants traditionnels enregistrés dans les villages de Chorfa dans la wilaya de Bouira et du village de Tagumount-Azouz dans la wilaya de Tizi-Ouzou. Il a également décrit les circonstances des chants qui leurs sont liés.

Contrairement aux études de Francisco Salvador-Daniel et Jules Rouanet qui ont traité la musique traditionnelle kabyle de manière fragmentaire loin des contextes sociohistoriques et culturels qui l'entourent, les chercheurs algériens précités l'ont abordée en tant qu'entité et non pas de manière fragmentaire, en tenant compte des contextes qui l'entourent. Un chant de travail, par exemple, ne se déroule jamais en dehors du travail qui l'associe, et de même pour les chants rituels ou circonstanciels, tels que : les berceuses, les chants d'imposition de henné, ou les chants mystiques des *iḵūniyan* utilisés par les différentes confréries dans les veillées funéraires etc..

Les études récentes se sont basées sur de nouvelles approches notamment l'approche émique et étique. Avec la vision émique, on a reproduit la vision des sujets (les villageois qui chantent encore ces chants traditionnels), et avec la vision étique, on a reproduit la vision des chercheurs eux-mêmes qui ont côtoyé ces villageois détenteurs de chants traditionnels sujets de leurs recherches.

En outre, les chercheurs récents se réfèrent à plusieurs genres qu'ils définissent, tels que : *ašawiq, tibūğarin, ahillil, adikkir, isjilliv, ahiha, l'izli* etc.

À partir de ces différents genres, on distingue entre deux types de métrique musicale : musique mesurée et musique non-mesurée.

Les résultats des études ethnomusicologiques récentes, nous livrent des informations qui nous aident à comprendre cette musique et son évolution. Ces informations sont absentes des études de Daniel et de Rouanet. Il reste que les quelques études récentes n'ont pas pu s'étendre à toute la Kabylie pour répertorier les chants encore existants dans des centaines de villages. La réalisation d'autres recherches en la matière relève donc de l'urgence.

Conclusion

Les travaux sur la musique kabyle de Jules Rouanet et plus particulèrement de Francisco Salvador-Daniel, sont d'une utilité documentaire certaine, cependant « il faut les lire avec beaucoup de précaution tant sont nombreuses les imprécisions relatives aux formes, modes et rythmes, à la terminologie, ainsi que pour certaines affirmations erronées » (Guettat, 2004, p. 283-284 ; p. 288-290). Contrairement aux études de Francisco Salvador-Daniel et Jules Rouanet, l'approche des études récentes de la musique kabyle traditionnelle est systémique ; elle tient compte des contextes socio-historiques et culturels qui l'entourent. Nous considérerons ces études récentes comme fondatrices de l'ethnomusicologie berbère en Algérie. En outre, et en examinant les études des franco-orientalistes à la lumière des travaux ethnomusicologiques, elles semblent dépassées, quand bien même elles constituent autant de repères pour les ethnomusicologues dans leurs recherches futures. Celles-ci nous permettront d'avoir une meilleure compréhension des traditions et pratiques musicales et leur évolution en Algérie et en Afrique du Nord. Cependant, l'intérêt d'un effort supplémentaire demeure indispensable, car les études devraient se poursuivre et s'étendre à toute la Kabylie pour répertorier les chants encore existants.

Bibliographie

BARTOK, Béla, 1961, *La musique populaire des arabes de Biskra et des environs*, traduit par Léo-Louis Barbés, Paris, Éditions la Typo-litho et J. Carbonel.

BOULIFA, Si Ammar Ben Saïd, 1904, *Recueil de poésies kabyles*, Texte Zouaoua traduit, annoté et précédé d'une étude sur la femme kabyle et d'une notice sur le chant kabyle (airs de musique), typ. A. Jourdan, Alger. (rééd. 1990, Paris, Awal).

CHRISTIANOWITSCH, Alexandre, 1863, *Esquisse historique de la musique arabe aux temps anciens*, Cologne ; https://ia801409.us.archive.org/23/items/esquissehistoriq00chri/esquissehistoriq00chri.pdf (consulté le 06/10/2016).

GUETTAT, Mahmoud, 1984, « Al-Turāṯ al-mūsīqī al-jazā'irī », *Revue al-Ḥayāt al-ṯaqāfiyya*, n° 32, Tunis.

GUETTAT, Mahmoud, 1986, *La tradition musicale arabe*, Paris, Ministère Français de l'Éducation / CNDP.

GUETTAT, Mahmoud, 2004, *Musiques du monde arabo-musulman/Guide bibliographiques et discographique*, Paris, Dār al-Uns.

HANOTEAU, Adolphe, 1867, *Poésies populaires de la Kabylie du Jurjura*, texte kabyle et traduction., Paris, Imp. Impériale ; https://babel.hathitrust.org/cgi/pt?id=hvd.hw8mpe;view=1up;seq=2 (consulté le 05/10/2016).

KHELLAL, Nacim, 2005, *La structure rythmique et mélodique du chant folklorique kabyle en Algérie, étude analytique*, thèse de magistère, Faculté de l'éducation spécifique, Université du Caire.

LUCIANI, Dominique, 1899, 1900, « Chansons kabyles de Smaïl Azikkiou. Texte et traduction », *Revue Africaine* t. XLIII, p.17-33, 142-171. T. XLIV, p. 44-59.

MAHFOUFI, Mehenna, 1981, *Quelques aspects de la musique dans la Kabylie traditionnelle*, mémoire de maîtrise de l'Université Paris-Sorbonne.

MAHFOUFI, Mehenna, 1992, *Le répertoire musical d'un village berbère d'Algérie (Kabylie)*, thèse de doctorat de l'Université Paris X Nanterre.

MAHFOUFI, Mehenna, 2006, *Chants de femmes en Kabylie : fêtes et rites au village, étude d'ethnomusicologie*, nouvelle série N° 09, mémoire du CNRPAH, Alger, ministère de la culture.

MECHERI-SAADA, Nadia, 1979, *Chants traditionnels de femmes de grande Kabylie, étude ethnomusicologique*, mémoire de maîtrise de l'Université de Paris-Sorbonne.

REDJALA M'Barek et Bouziane Semmoud, « Kabyles », in : *Encyclopaedia Universalis* ; https://www.universalis.fr/encyclopedie/kabyles/3-la-langue-et-la-litterature-kabyles/ (consulté le 27 octobre 2016).

ROUANET, Jules, 1922, « La musique arabe dans le Maghreb », *Encyclopédie de la musique et dictionnaire du conservatoire*, Lavignac, V, Paris, vol. 1, p. 2885-2892.

SALVADOR-DANIEL, Francisco, 1863, *Album de chansons arabes, mauresques et kabyles* ; https://hdl.handle.net/2027/mdp.39015023369922 (consulté le 27 octobre 2016).

SALVADOR-DANIEL, Francisco, 1986, *Musique et instruments de musique du Maghreb*, Paris, La boîte à documents.

La contribution d'Antonin Laffage à la musicologie francophone du monde arabe

Mohamed Saifallah BEN ABDERRAZAK[*]

Cet article consacré à Antonin Laffage est dédié au musicologue tunisien Mahmoud Guettat, qui, dans maintes rencontres scientifiques et écrits (Guettat, 2004, p. 218), a émis des réserves quant à la contribution scientifique et au rôle effectif que joua le baron Rodolphe d'Erlanger dans l'élaboration des six tomes de *La musique arabe*, cette œuvre monumentale qui porte son nom. Guettat, qui n'a probablement pas tort, a toujours eu la conviction que le mérite revient, en premier, à toute l'équipe de musiciens, musicologues, historiens et traducteurs auxquels le baron fit appel.

Il est difficile de préciser, dans l'état actuel des recherches, la contribution scientifique effective du baron d'Erlanger dans ce projet. Ce dont on est certain c'est qu'il assura son financement. Erlanger réussit, en effet, à mobiliser toute une équipe d'érudits et de passionnés pour atteindre ses objectifs. Ce sont principalement : Antonin Laffage, Aḥmad al-Wāfī, Mrīdaḵ Slāma, Muḥammad Ġānim, Ṣālaḥ al-Rafrāfī, Muḥammad Bil-Ḥassan, les traducteurs : ʿAbd al-ʿAzīz al-Bakkūš, Moḥammad Saʿīd al-Ḵalṣī et Mannūbī al-Snūsī, l'orientaliste français le baron Carra de Vaux et l'historien Ḥassan Ḥusnī ʿAbd al-Wahhāb. Il fit appel également au musicologue libanais Iskandar Šalfūn et au compositeur, musicien et théoricien ʿAlī al-Darwīš al-Ḥalabī. Quant aux éminents musiciens et compositeurs tunisiens : Ḵmayyis al-Ṭarnān et Muḥammad al-Trīkī, ils eurent plus tard un rôle relativement limité. Signalons également la contribution méritée du copiste italien Charles Limonta. Outre ces membres qui œuvrèrent comme permanents ou intermittents, pour le compte du baron, d'autres personnalités (Poinssot ; Directeur des Antiquités à Tunis, Mercier ; professeur de physique au Lycée Alaoui, David Hagège ; officiant à la grande synagogue, etc.) ont été contactées pour apporter un éclairage, des explications, un avis, une lecture critique, des aides à la traduction ou

[*] Docteur en histoire de la musique et musicologie de l'Université Paris IV Sorbonne (1999). HDR Université de Tunis. Ancien Directeur de l'Institut Supérieur de Musique de Tunis (2008-2014). saif.abderrazak@gmail.com.

pour fournir des éléments de réponses à des questions précises ou des documents en leur possession.

Un hommage a été rendu, par Mannūbī al-Snūsī, à quatre des collaborateurs du baron à travers leurs biographies figurant en appendice du tome V. Ce sont respectivement Iskandar Šalfūn, ʿAlī al-Darwīš, Aḥmad al-Wāfī et Ḵmayyis al-Ṭarnān (Erlanger, 1949, 2001, p. 378-384). Quant au baron Carra de Vaux, à qui Erlanger confia la révision de la traduction d'al-Fārābī et de nombreuses autres tâches, il eut le privilège de préfacer le tome I de *La musique arabe*.

Dans cette liste de collaborateurs, nous avons cité, en premier, le nom d'Antonin Laffage car nous pensons qu'il fut à l'origine de l'intérêt que porta d'Erlanger à la musique arabe. Les archives papiers du baron, conservées au Centre des Musiques Arabes et Méditerranéennes, comportent un nombre considérable de documents (épreuves, résumés d'études, brouillons, notes, transcriptions musicales, photos d'instruments, correspondances, etc.) de la main de Laffage ou portant sa signature. L'étude de ces documents, que nous avons classés et numérisés, montre combien ce personnage, oh combien occulté, s'est investi dans cette entreprise. Tout porte à croire, d'après ces documents, que Laffage fut à la fois l'instigateur, le conseiller, l'éclaireur et le maître d'œuvre de tout le projet initial du Baron d'Erlanger.

Il nous paraît important de rappeler que le baron Rodolphe d'Erlanger, qui était peintre de formation et bien qu'il baignât dans un milieu familial imprégné de culture musicale, n'était point musicien et encore moins musicologue, il le deviendra plus tard. Ali Louati mentionne un texte rédigé par d'Erlanger, avant sa venue en Tunisie, où il aborde l'expérience créatrice d'une façon générale. Tentant d'établir un parallèle entre le travail du peintre et celui du compositeur, il déclara, aussitôt, qu'il lui était

> *« impossible d'aller plus avant dans les règles de la musique étant absolument ignorant de tout ce qui concerne cet art » (Louati, 1996, p. 79).*

Louati note :

> *« Lors de son installation en Tunisie, le baron d'Erlanger ne devait pas porter à la réalité culturelle autochtone un intérêt autre que celui d'un peintre à la recherche de bons sujets pour ses œuvres » (Louati, 1996, p. 77).*

Il considère sa rencontre, vers 1914, avec l'éminent Aḥmad al-Wāfī, comme un fait décisif qui engagea le baron sur le chemin de la découverte des traditions musicales arabes. La contribution du maître Aḥmad al-Wāfī a été des plus importantes, mais l'engagement du baron est bien antérieur à cette date. Le document portant la référence (B. 076 Dos. 02)[1] et daté du 26-8-1911 l'atteste. Nous reviendrons sur ce document insolite rédigé par Laffage et portant sa signature mais qui évoque en même temps « l'ami Laffage », comme si c'est le baron qui parle !

---

[1] À propos des références aux documents d'archives papier du baron d'Erlanger : les documents sont classés dans des dossiers dans des boites d'archives, la référence (B. 076 Dos. 02) signifie Boite N° 076, Dossier 02. La référence (B. 140 Dos. 07 Doc.003- 004) signifie Boite N° 140, Dossier 07, Documents 003 et 004. Nous tenons à remercier la Direction du CMAM et tout particulièrement son Directeur Sofien Feki qui nous a autorisé à exploiter certains documents d'archives et illustrations.

1. Qui est Antonin Laffage ?

Antonin-Louis Laffage naquit le 14-8-1858 à Alger (Lambert, 1912, p. 255) et décéda le 2-8-1926 à Paray le Monial, en Bourgogne (Garfi, 2006, p. 7). Il fut un artiste aux multiples facettes, peu connu des musiciens et musicologues et c'est à Christian Poché que revient le mérite d'avoir publié dans le *Dictionnaire des orientalistes* une brève biographie de ce personnage incontournable de la vie musicale en Tunisie depuis l'avènement du protectorat français jusqu'à la fin du premier quart du XXe siècle.

Laffage est connu à travers ses innombrables compositions éditées essentiellement à Leipzig et à Paris et à travers son ouvrage en deux volumes *La musique arabe ses instruments et ses chants* qu'il publia en 1906. Le second volume qui porte sur sa mission en Tripolitaine, a été traduit en arabe par le musicologue tunisien Mohamed Garfi et publié à Beyrouth en 2006.

Antonin Laffage est également cité par Raoul Darmon dans deux de ses articles, parus dans le bulletin économique et social de la Tunisie. Dans un premier article intitulé : Un siècle de vie musicale à Tunis (Darmon, 1951) et dans un second article consacré à l'École de Musique de Tunis (Darmon, 1954), dont il fut l'un des principaux fondateurs. En vantant ses qualités, Darmon nota :

> *« Quant à Laffage, le "roi du violon", qui ne se souvient à Tunis de l'universalité de ses connaissances, de sa bonne volonté, de ce désintéressement, de cette inépuisable complaisance qui faisaient de lui le Michel Morin de l'art musical » (Darmon, 1954, p. 90).*

Antonin Laffage fut à la fois : un musicien instrumentiste (violoniste, premier prix de violon du conservatoire de Lyon, altiste, organiste, xylophoniste), un compositeur d'une inépuisable fécondité (près de 500 œuvres dont bon nombre sont d'inspiration locale), un chef d'orchestre, un professeur de musique et d'instruments (violon et alto), un musicologue, un collectionneur d'instruments de musique et un éditeur (il créa en 1906 une maison d'édition et publia en plus de son propre ouvrage une trentaine de livres sur les sujets les plus divers, notamment la médecine). Il reçut de nombreuses décorations en France, en Tunisie et ailleurs :

> *« Officier de l'Instruction publique, Commandant du Nichan-Iftikhar, Chevalier de l'Ordre royal du Cambodge et de plusieurs autres ordres. [...] Membre de l'Académie de Florence, Médaille d'or à l'Exposition de Marseille, Grand Prix de l'Exposition de Tunis, 1911 » (Lambert, 1912, p. 255).*

En 1895, il fonda avec Paul Frémaux et Alexandre Chabert une société artistique vouée à la musique française du 18e siècle en plus d'un répertoire de chansons populaires des provinces de France. Ce même trio fonda en 1896 la première école de musique, à la demande du Directeur de l'Instruction Publique Louis Machuel. Laffage y enseigna le violon. Il enseigna la musique à l'école Jules Ferry, au lycée Carnot et au Collège Alaoui de Tunis.

Antonin Laffage connut d'intenses activités musicales et pédagogiques : auditions de ses élèves, récitals, direction d'orchestres, de sociétés musicales, saisons lyriques, concerts pour divers évènements : kermesses, fêtes de charité et bienfaisance, fêtes corporatives, sportives, carnavals, commémorations patriotiques, messes en musique, mariages de notabilités, etc.

Chef d'orchestre d'opéra/opéra-comique, dans de nombreuses villes en France et en Tunisie, Laffage dirigea l'orchestre du casino municipal de Tunis, ceux des casinos de Hammam-lif et de la Goulette, pendant les saisons estivales. Il dirigea également la société la Chorale de Tunis et lança dès 1903 les rendez-vous quotidiens des Thé-Concerts dans les jardins d'hiver du Casino Municipal où il fit exécuter nombre de ses propres compositions.

2. Les publications de Laffage

Antonin Laffage publia toutes ses compositions dont bon nombre sont pour chant, violon et piano, instruments divers, fanfare, harmonie et musique religieuse, en plus de quelques œuvres qu'il harmonisa comme l'hymne beylical de Tunisie. Dans le cadre de cet article nous allons nous intéresser particulièrement au volet musicologique et revenir sur le contenu de son ouvrage : *La musique arabe, ses chants et ses instruments*.

Le premier volume (fascicule 1e), doté de belles illustrations (chanteuse, danseuse et instruments) et qui porte essentiellement sur la musique tunisienne, comporte de nombreuses transcriptions musicales de pièces instrumentales du répertoire traditionnel citadin turco-arabo-andalous (*šġul,bašraf*), l'Hymne Khédivial d'Égypte et la Marche Hamidié (Turquie) harmonisés, chansons et airs de danse, en plus d'airs divers de rues (Appel à la prière, chant mortuaire, cris de marchands ambulants, chant de travail des pilonneurs noirs, air de danse, etc.). Certains airs, accompagnés de commentaires et d'informations précieuses, attestent d'un intérêt certain de l'auteur pour les expressions musicales locales.

Les transcriptions musicales sont précédées de notes sur les instruments de musique, la voix et les diverses combinaisons instrumentales locales. Dans ces notes, nous retrouvons un Laffage inquiet quant à l'occidentalisation de la musique arabe :

> *« Quelques pays arabiques ont bien senti quelque peu le voisinage européen et leur musique s'en est modifiée : l'Égypte et la Turquie notamment. » (Laffage, s.d., p. IV).*

Il donne l'exemple de l'Hymne Khédivial d'Égypte qui

> *« composé de deux motifs, se trouve dans le premier aux allures de scottish, franchement moderne ; le second motif revêt un petit cachet oriental qui fait pardonner le premier. [...] On a bien essayé pour la Musique Beylicale (Tunisie) de donner un coup de pioche au passé, idée regrettable qui appellerait une sévère critique contre le promoteur de cette transformation maladroite, car la Musique Beylicale d'autrefois était une originalité pour l'étranger au pays : elle constituait un champ très curieux d'observations ; pour l'Arabe, cette transformation lui enlevait ses derniers souvenirs d'enfance, de famille, restes consolateurs d'une partie fuyante » (Laffage, s.d., p. IV-V).*

Le second volume (fascicules 2 et 3) est un compte rendu de sa mission à Tripoli, où il se rendit en 1906, dans le but de collecter des airs qui pourraient inspirer certains musiciens européens en quête d'exotisme. Il réussit à transcrire 22 airs turcs (*šarqī*), des marches, des *bašraf*, des sonneries de clairon, des chants de rues (d'hommes et de femmes, à l'occasion de cérémonies de mariages), des airs d'enterrement, un air de *magrūna* (clarinette double en roseau) entendue sur la place d'un marché, des airs de marchands de pommes de terre, d'œufs et de marchands de citrons. Au cours de son voyage, Laffage acquit, lors de son passage à Sousse et à Sfax, 17 cartes postales illustrées ayant trait à la musique arabe et dont il nous laissa une description. Il réussit également à rapporter de Tripoli 7 instruments qu'il décrit dans son ouvrage. Ce sont : trois types de *magrūna*, une *tabdāba* (tambour en gobelet), un *ʿūd* à cinq chœurs doubles, une *gasba* (flûte) turque et un *qānūn* à vingt-quatre chœurs triples. Comme dans son premier fascicule, Laffage ne manqua pas d'exprimer sa déception à l'écoute de la musique exécutée en Lybie. Il nota :

> *« La musique musulmane se meurt et, à l'entendre, on a la sensation qu'elle est bien près de disparaitre. Telle a été, en entrant chez moi, l'impression que j'ai ressentie de cette audition, qui ne fit que fortifier le jugement que j'ai reçu depuis que j'étudie le passé de cette musique en pleine décadence. Dans tous les pays de l'Orient, elle s'italianise, et les principaux hymnes, le turc, le tunisien, l'égyptien et d'autres hymnes encore ont été écrits par des compositeurs italiens » (Laffage, s.d., p. 18).*

Ces cris d'alarmes et inquiétudes quant à l'avenir de la musique arabe, suite à l'influence de la musique occidentale rappellent ceux du baron d'Erlanger parus dans sa première publication : « Au sujet de la musique arabe en Tunisie », où nous retrouvons à la fois tout le savoir acquis auprès de Aḥmad al-Wāfī, concernant le rôle des confréries religieuses, et les idées, réflexions et constatations de Laffage quant à la transmission de la musique traditionnelle et au phénomène d'acculturation dont elle fut l'objet. Ainsi il nota :

> *« À Tunis, aujourd'hui, il nous serait impossible de faire interpréter convenablement la moindre page de musique classique ; nous ne saurions trouver cinq musiciens nécessaires pour l'exécuter. » (Erlanger, 1917, p. 3) et ajouta « Le prince abandonne son orchestre privé pour écouter une fanfare s'époumonant en vain pour trouver sur des instruments étrangers des notes qui lui écorchent les oreilles. Les palais s'écroulent, la musique se meurt » (Erlanger, 1917, p. 6).*

Outre son ouvrage, composé de plusieurs volumes (Serres, 1905, p. 15), Laffage publia deux séries de six fascicules entièrement consacrés à la musique arabe (tunisienne). La seconde série a été publiée en 1911. Le quotidien *La Dépêche Tunisienne* (N° 7583, vendredi 2 Juin 1911) en rendit compte de manière élogieuse et publia les titres des 38 pièces qui composent ces six fascicules, reconnus comme étant « *d'un raffinement inouï d'édition et d'une authenticité absolue* ». Il est mentionné :

> *« Tous les bibliophiles du monde entier recherchent les travaux de notre compatriote qui poursuit avec une inlassable ténacité la restauration d'un grand art que personne n'a tenté jusqu'ici et présenté d'une manière claire,*

facile, pouvant s'interpréter sur tous les instruments quels qu'ils soient, aussi bien sur le piano, la flûte, la clarinette, le violon, piston, mandoline, etc. ». Ces fascicules « constituent de précieux documents pour les historiologues, pour les artistes amateurs d'une musique pour ainsi dire tirée de l'oubli, et que le temps ou de mauvaises transcriptions menaçaient à tout jamais de faire disparaître. » (Dépêche Tunisienne, N° 7583, 1911).

Parmi les œuvres transcrites et traduites par M. Luciani, interprète et collaborateur de Laffage :

« Prélude de Saïka. / Je suis tout à vous, ma chère, et vous à qui êtes-vous ? / Ils m'ont ravi la raison et sont partis ! / Touchia Hossaïne. / Les plus belles fleurs sont sur les bords des ruisseaux. / Résigne-toi à la volonté du Seigneur. Celui qui consola Job. / Ton visage est pour moi un pré verdoyant ; concède-moi ce paradis. / Mon invité lève-toi, ranime la chandelle ! / Mon bonheur a effacé l'ennui / Ô mon cœur ! abandonne le chagrin... ».

Il s'agit, d'après l'ensemble des titres publiés, d'airs de danses, de chansons et de pièces instrumentales et vocales du répertoire du *mālūf*.

Antonin Laffage bénéficia d'une excellente réputation et acquit grâce à ses activités musicales et pédagogiques, tant vantées dans les journaux, en plus de ses participations aux actions philanthropiques une grande notoriété et une estime de toutes les communautés européennes et autochtones du pays.

3. La contribution d'Antonin Laffage à l'œuvre du baron d'Erlanger

Le baron d'Erlanger qui s'installa définitivement à Tunis en 1910 après de courtes visites d'affaires, entreprises respectivement en 1902, 1903, 1907 et 1909 (Louati, 2008, p. 36), aurait fort probablement connu Laffage au cours de soirées mondaines chez les notables du pays ou chez le résident général de France à Tunis, ou encore lors de concerts et d'opéras donnés au Théâtre Municipal ou au Politeama Rossini. Rodolphe et son épouse Bettina étaient en effet passionnés d'opéra.

À partir de 1911, tout en maintenant ses activités pédagogiques et musicales, Laffage apporta sa contribution à l'œuvre du Baron Rodolphe d'Erlanger, qui semble-t-il avait au départ un grand projet encyclopédique : une étude approfondie du système musical arabe en remontant à ses origines. Dans sa première publication, Erlanger nota :

« Les Arabes ont deux systèmes musicaux bien distincts, en faveur encore. L'un est né de la civilisation asiatique, l'autre est le propre de celle du royaume des Pharaons. Les Provinces orientales de l'Empire Arabe ont adopté le système asiatique, tandis que les provinces d'Occident ont choisi l'autre, qui a fait éclore l'échelle de Pythagore » (Erlanger, 1917, p. 3).

Qui fut l'instigateur de ce projet ? Cette question nécessite une étude approfondie de l'ensemble des documents d'archives. Tout porte à croire que Laffage éclaira et alerta le baron sur l'état de la musique arabe et le conseilla d'investir son temps et son argent pour sauver cet art de toute perdition et pérenniser ainsi son nom, en lui suggérant toute une stratégie et un plan de travail détaillé. Le document manuscrit et non daté, portant la référence (B. 076 Dos. 06) est riche d'informations concernant à la fois le plan d'un ouvrage et la manière de le réaliser. Nous y trouvons également les mêmes idées publiées par Erlanger, concernant les influences des systèmes musicaux asiatiques et égyptiens sur celui des arabes, développées par Laffage qui nota :

> *« Il nous semble qu'il serait utile maintenant de donner au lecteur une idée de la marche qu'a suivie la musique à travers les civilisations. Bien entendu il ne peut s'agir que d'une opinion, nous l'avons conçue au cours de nos recherches. L'Asie nous donne l'histoire la plus reculée de son art, elle se déroule pendant vingt siècles. L'Égypte de son côté semble se développer musicalement sans avoir été influencée par l'Asie. Ce n'est qu'en l'an [...] lors de l'invasion de l'Égypte par les Perses conduits par Cambyse que nous voyons le vainqueur apporter avec lui les instruments et la musique asiatique. Celle de l'Égypte est détrônée ses [???] sa pureté ne sont plus respectés. Nous voyons Platon se rendre en Égypte [...]. Conscient de la perturbation qu'avait apportée l'invasion des Perses dans les principes mêmes de la musique des Égyptiens [...] il se rend dans les temples et c'est de la bouche des grands prêtres qu'il tient l'histoire et les règles de l'antique musique égyptienne. Ce sont ces règles qu'il apporte en Grèce. Avec l'influence asiatique dans la civilisation de la Grèce, nous voyons de nouveau les commandements des Pharaons diminuer de prestige et peu à peu s'évanouir. Ce n'est que chez les arabes avec Farabi en l'an [...] que le fil perdu chez les grecs se retrouve. Ce savant [...] fait de minutieuses recherches dans les textes grecs ; il écarte toutes les plus récentes théories pour remonter au système de Pythagore qu'il rétablit... » (B. 076 Dos. 06 Doc. 015-016).*

Dans une lettre, datée du 25 novembre 1917, adressée à son frère le Baron Frédéric (Freddy), Rodolphe d'Erlanger nota :

> *« Mon ouvrage dans son premier volume comprendra si Dieu me donne vie, l'histoire de la musique depuis sa naissance, débutant avec l'apparition de chacun de ses degrés musicaux à travers les âges (c'est là une question totalement ignorée jusqu'ici), l'histoire de la musique en Orient jusqu'à nos jours avec des exemples de chaque période à commencer de l'époque de Moïse et antérieurement ; puis un exposé de la théorie arabe chez les auteurs orientaux, enfin la façon de composer en s'appuyant sur les règles énoncées. Dans un second volume, la reproduction des principaux manuscrits des auteurs orientaux, quim dans les éditions anglaises ou françaises, seront traduites in extenso. Enfin le dernier volume renfermera tous les exemples musicaux. C'est un travail formidable que j'ai entrepris, il me faudra des années pour l'achever. » (B. 140 Dos. 07 Doc.003- 004)*

Erlanger confia à Laffage dès 1911 de nombreuses tâches :

- L'élaboration de résumés et de synthèses sur les musiques égyptienne, hébraïque, grecque, chinoise, persane et arabe. Ce travail est précédé d'une collecte d'ouvrages (en plusieurs langues), travaux anciens et articles plus récents en rapport avec ces musiques. On consulta alors ceux de Platon, Laborde, Villoteau, Fétis, Forkel, Kosegarten, Kieswetter, Christianowitch, Salvador-Daniel, Thomas Shaw, etc.. Les listes bibliographiques réalisées par Laffage sur les musiques grecque (B. 069 Dos. 06), hébraïque (B. 153 Dos. 04) et arabe (B. 076 Dos. 04) attestent de l'ampleur de cette tâche.

- La collecte de répertoires, de données et d'informations en rapport avec la pratique de certaines traditions musicales, auprès de musiciens et de personnalités ressources.
- La transcription des répertoires musicaux collectés et la sélection des pièces (airs, chants, danses, chansons, cris de la rue, mouvements mélodiques, etc.) qui serviront d'illustrations musicales.

3.1. Les collaborateurs de Laffage

D'après les documents disponibles, Laffage entama ses premières investigations en 1911, aidé par ʿAbd al-ʿAzīz al-Bakkūš (Abdelaziz Baccouch), homme de lettres et qui fut le Chef-Adjoint de l'Interprétariat à la Direction de l'Intérieur de Tunis. Al-Bakkūš réalisa un travail colossal de traduction, de révision et de correction des principaux traités et de nombreux ouvrages et articles.

Un premier noyau se forma dès 1914 avec l'arrivée de Aḥmad al-Wāfī (1850-1921), maître incontesté du répertoire arabo-andalous du *mālūf*, dans sa double dimension mystique et profane. Al-Wāfī avait également une bonne connaissance de la musique orientale et particulièrement celle de l'école syro-égyptienne, en plus d'une culture littéraire et musicale étendue aux travaux et écrits des théoriciens arabes anciens. Il maîtrisa la transcription musicale en notation alphabétique arabe et en notation occidentale. Il réalisa un travail considérable de transcription musicale.

Mrīdak̠ (Mardochée) Slāma (1870-1942) musicien, joueur de *qānūn* (qui initia le baron d'Erlanger au jeu de cet instrument) intégra l'équipe dès 1917. Il maîtrisa, à la fois, la musique tunisienne et orientale ainsi que la transcription en notation alphabétique arabe. Slāma, tout comme al-Wāfī, transcrivit un important répertoire de liturgies hébraïques, mit au point les tableaux comparatifs de *ta'amim* (accents bibliques et leurs formules mélodiques respectives) selon les divers livres de la Bible.

Muḥammad Sa'īd al-K̠alṣī (al-Khalsi), ancien élève du Lycée Carnot de Tunis et diplômé en droit après des études à Paris et au Maroc, compte parmi les meilleurs traducteurs et érudits qui se sont joints à cette équipe.

Mannūbī al-Snūsī (1901-1966), un ancien élève du Collège Alaoui qui pratiqua plusieurs langues : l'anglais, l'italien et l'allemand, en plus du français et de l'arabe qu'il maîtrisa, se joignit à l'équipe et succéda à ʿAbd al-ʿAzīz al-Bakkūš vers 1922. Il participa activement à la traduction, à la correction et à la rédaction de nombreuses parties des différents ouvrages.

Ṣālaḥ al-Rafrāfī, musicien joueur de *rbāb* et de violon et élève d'Aḥmad al-Wāfī, fut probablement l'un des derniers membres permanents de l'équipe de Laffage. Il fut un excellent transcripteur qui maîtrisa à la fois la notation alphabétique arabe et occidentale et avait cet avantage par rapport aux autres transcripteurs de pouvoir réaliser des sortes de conducteurs où il spécifia le jeu de chaque partie (voix, instrument mélodique, percussion), comme l'exigeait Laffage. Ce dernier, tout en apportant sa propre contribution, supervisait le travail de toute l'équipe et en rendit compte au Baron, qui suivit avec passion et de manière régulière tous les détails de sa progression.

Nous ne pouvons, dans le cadre de cet article, évoquer tous les travaux de Laffage pendant les quinze années passées au service du baron d'Erlanger, nous nous contentons de passer en revue quelques-unes de ses réalisations.

3.2. Quelques documents et travaux réalisés par Laffage

3.2.1. Enquêtes de terrain

1)- Parmi les plus anciens documents, de la main de Laffage, figurant dans les archives papier du Baron d'Erlanger, hormis les photos anciennes d'instruments de musique de sa propre collection et les cartes postales de musiciens qui datent vraisemblablement de 1905 mentionnées dans son ouvrage, celui portant la référence B. 076 Dos. 02, ce document manuscrit de sept pages, daté de 1911, a pour titre : *1e Questionnaire*. Il s'agit d'une sorte de plan de travail, sous forme de questionnaire en 9 points avec sa propre signature et cette mention à la fin : « *Je crois que lorsque les points désignés seront pour la plupart établis et fixés nous avons de la bonne et entêtée besogne pour au moins un an* » (B. 076 Dos. 02 Doc 007).

Dans ce questionnaire, en vue d'une collecte d'informations musicologiques et organologiques, Laffage demande à rencontrer les chefs respectifs de la Musique Beylicale et de la *Nāṣīriyya*, pour recueillir des informations sur la musique exécutée par les deux fanfares qu'ils dirigent. Il souhaite également enregistrer le répertoire et les prestations d'instrumentistes, chanteurs et chanteuses, comme il l'avait fait auparavant avec un joueur de *ṭbal* (tambour cylindrique à deux peaux). Connaître les dénominations des modes en langue arabe. Acquérir des ouvrages et écrits sur la musique arabe. Enregistrer les chants sacrés de la liturgie musulmane et les cérémonies du culte.

Les questions 6 et 7 ont trait à l'organologie : Connaît-on d'autres instruments de musique autres que ceux figurant dans le musée personnel de Laffage, à savoir : *qānūn*, *ʿūd*, *ṭablāt*, *bindīr*, *šqāšiq* des danseuses de cafés et ceux des musiciens noirs, divers *gaṡba*-s, *mizwid*, divers *gumbrī*-s, *gugayy*, diverses *šabbāba*-s, *kwītra*, diverses *darbūka*-s, divers *ṭār*-s, divers *rbāb*-s, *magrūna*, *ṭabdāba*, divers *ṭball*-s, diverses *zukrā*-s ?

La 7e question concerne l'identification d'instruments africains que Laffage avait enregistrés au cours d'une étude antérieure. Citons parmi cette longue liste de 24 instruments :

> « ***Ambira**, instrument formé de tringles de fer de longueur inégale et que l'on pince avec les doigts, en usage dans la colonie Portugaise de l'Afrique occidentale, le Mozambique. **Balafo** : harmonica composé de lames de bois reposant sur des calebasses creuses et servant aux populations de l'Afrique Occidentale pour leurs réjouissances. **Ingomba**, tambour de deux mètres qui existe au Congo et en Guinée fait dans un tronc d'arbre creusé et des cordes pour obtenir la tension des membranes tout autour de la longueur de l'instrument. **Nanga**, petite harpe en usage au Congo dont les*

cinq cordes sont en fibres végétales tendues au moyen de nœuds coulants qui resserrent davantage les chevilles. ***Tahona****, grande flûte recourbée percée de trois trous et ouverte aux deux extrémités (Afrique occidentale).* ***Oukpivé****, trompe usitée en Guinée et qui sert dans les combats guerriers.*

Sistre*, instrument de l'Égypte antique composé de 4 verges de métal passées dans une tige de métal en forme d'aimant et un manche. On agite l'instrument qui produit des sons perçants et confus. Usité encore aujourd'hui en Abyssine dans les églises où cet instrument fait fonction ou remplace les sonnettes dans le culte catholique » (B. 076 Dos. 02 Doc. 003/004/005/006).*

2)- Le document (B. 194 Dossier 05) comporte, entre autres, cinq pages portant le titre : *Programme d'une soirée arabe dans une maison privée*. L'auteur nota de nombreux détails relatifs à la progression et aux contenus des soirées de *mālūf*, de *Sūlāmiyya* et de *ʿIsāwiyya* qui se déroulaient dans les demeures privées de Tunis. Il avait pris le soin de préciser les durées de chaque soirée, de celles de ses pièces constitutives ainsi que celles des pauses et repos des intervenants.

Ces documents présentent un intérêt considérable dans la mesure où ils nous renseignent sur le contenu des programmes de ces soirées privées du début du XXe siècle en Tunisie.

Nous proposons comme exemple « La soirée de *mālūf* ». Celle-ci comprend dans l'ordre :

« Une nūba d'une durée d'une heure, (repos 10 mn). / Un bašraf d'une durée d'une demi-heure. / Une qaṣīda (improvisée) avec accompagnement en solo du ʿūd, à laquelle succède un šġull (chant avec accompagnement de l'orchestre dans le même mode que celui de la qaṣīda), durée : ¼ d'heure (repos 10 mn). / Une deuxième qaṣīda et une chanson (accompagnement de tout l'orchestre), durée : ¼ d'heure (repos 10 mn). / Une troisième qaṣīda. / Un muwaššaḥ (solo avec réponse de l'orchestre, les différents interprètes chantent à tour de rôle et se répondent les uns aux autres), durée : ½ heure (repos 10 mn). / Une quatrième qaṣīda et une chanson, durée : ¼ d'heure (repos 10 mn). / La soirée s'achève avec un fragment de nūbat al-Māya d'une durée d'une demi-heure. » (B. 194 Dos. 05 Doc 001).

3.2.2. Notes et résumés d'études

1. Notes tirées de l'œuvre de J. A. Van Aalst sur la Musique Chinoise. (B. 087 Dos. 04)

Dans ce document, daté du 22-09-1919, nous trouvons quelques données historiques sur l'évolution du système musical chinois, l'élaboration de l'échelle musicale à partir des tubes en bambou (*Lüs*) et une approche comparative entre le système occidental et le système chinois. Ce document entièrement dactylographié comporte deux tableaux et une représentation en forme de cercles concentriques tous manuscrits (écriture d'Antonin Laffage) :

- Une représentation du cycle exprimant les noms des *Lüs* (Lyu/Liu tubes en bambou) ordonnés de manière à coïncider avec les heures et les lunes concordantes. Cette représentation traduit les changements de tonalités.
- Un tableau comparatif du système tempéré occidental et du système chinois, avec la nomenclature des *Lüs* et leurs correspondants en notes européennes.
- Un tableau comparatif des notes de la gamme diatonique.

2. Notes tirées de l'ouvrage de Caussin de Perceval : Les musiciens arabes du 1e siècle, 2e et 3e de l'Hégire, publié par la *Revue Asiatique* (B. 153 Dos. 08)

Dans la première page de ce cahier petit format, dans lequel Laffage consigna l'essentiel de ces notes, il mentionna que les informations rapportées par l'auteur sont tirées de *Kitāb al-ʾaġānī* (le livre des chants) d'Abū al-Faraj al-Iṣfahānī. Il est également noté :

> « *Le Baron dans son chapitre sur l'histoire des Arabes peut démontrer par l'exposé suivant, en plus des sommités arabisantes qui se montrèrent dans l'Islam, les musiciens qui sont les suivants : ...* » *(B. 153 Dos. 08 Doc. 001).*

Il s'agit en effet de données collectées à propos de nombreux musiciens et musiciennes arabes.

Ces notes ont sans aucun doute servi à l'élaboration de la *Biographie de Musiciens Arabes*, travail non publié et auquel participa Laffage. Dans ces 44 pages dactylographiées, figurant dans le document (B. 54 Dos. 02), nous trouvons les biographies respectives de : Ṭuways, Saʿīd Ibnu Musajjah, al-Dallāl, Muḥammad Ibnu ʿAyša, Yūnis al-Kātib, Baššār Ibnu Burd, Ṣiyāṭ, Ḥakam al-Wādī, Ibnu Jāmiʿ, Ibrāhīm al-Mawṣilī, Isḥāq Ibnu Ibrāhīm al-Mawṣilī, Sāʾib al-Ḵāṯir, Jamīla, ʿAzza al-Māyla, Ibnu Surayj, etc.

3. Résumé de l'*Étude sur la Musique Arabe* du Père Collangettes. (B.153 Dos. 05)

Notes manuscrites, sur un cahier petit format (20 pages), résumant l'essentiel de l'étude du Père Collangettes sur la *Musique Arabe*, parue en deux articles dans le Journal Asiatique (Novembre - Décembre 1904 et Juillet - Aout 1906). Dans ce relevé des principales questions abordées par le Père Jésuite, avec leurs numéros de pages respectives, Laffage semble maîtriser l'ensemble des thèmes abordés (les traités des théoriciens arabes anciens, les échelles musicales suggérées par les anciens et les modernes, les genres, les intervalles, etc.). Il n'hésite pas à ajouter certains commentaires et notes explicatives, sans doute destinées au Baron d'Erlanger.

3.2.3. Les épreuves

1. Épreuve sur la musique dans l'ancienne Égypte (B. 084 Dos. 06)

Cahier comportant 44 pages manuscrites traitant de l'histoire de la musique égyptienne en trois parties :

- **L'Ancienne Égypte**. Laffage passe en revue les principaux événements historiques datant d'environ 5000 ans avant notre ère : la période où le peuple égyptien était protégé contre toute incursion par la nature elle-même, du temps où l'Égypte était divisée tout d'abord en deux royaumes et subdivisée en Nômes ; les premières invasions datent de l'an 2230 avant notre ère avec l'arrivée des peuples pasteurs venant probablement des plateaux d'Iran. Les deuxièmes invasions des Perses sous la conduite de Cambyse (529-522 av J. C.) et la pénétration des mœurs asiatiques. L'avènement des Ramsès et l'exode des Hébreux ; le Royaume d'Alexandre, sous Ptolémée, où les Septantes furent chargés de rechercher les documents propres à raviver les anciennes traditions d'Égypte dans l'espoir d'une renaissance.

- **Première Période**. Le sujet étant bien évidemment l'art musical de cette période de l'histoire de la civilisation égyptienne, Laffage se référa aux auteurs grecs et latins qui reconnurent « *la pureté et la grandeur de la musique du pays des Pharaons*. ». Quant à son rôle, il nota :

> *« Chez les Égyptiens, la musique était considérée comme un instrument de moralisation, un moyen d'élever l'âme ; et leurs dirigeants se sont toujours déclaré les dépositaires des secrets de ses lois qu'ils conservaient jalousement, s'élevant contre toute ingérence étrangère » (B. 084 Dos. 06 Doc. 007).*

Pour cette première période, il est également question de l'importance de la musique dans le discours des moralisateurs et des éducateurs des peuples. Le devoir et les privilèges des musiciens. La tradition orale est considérée comme un « *moyen infaillible de propager sans danger et d'une façon invariable la connaissance de la religion, des lois, des sciences et des arts.* » (B. 084 Dos. 06 Doc.012). Cette partie consacrée à l'avantage de l'enseignement oral et à l'aversion des peuples de l'antiquité pour l'écriture est riche d'informations. Nous trouvons aussi un aperçu sur : les lois régissant l'instruction des enfants et la conduite des adultes, le rôle de la danse dans le discours, la danse et l'éducation physique, enfin la perfection des lois régissant l'art en Égypte.

- **Deuxième Période.** Pour cette seconde période de l'art musical égyptien, considérée comme celle de la décadence suite à l'invasion des Perses, les informations proviennent encore une fois de témoignages et d'écrits d'auteurs grecs et latins. L'introduction massive, par les conquérants, de nouveaux instruments a été à l'origine de l'altération de la musique égyptienne et de sa transformation. Ce fut l'une des principales causes de sa décadence. Le reste de ce chapitre est alors consacré aux instruments originaux des égyptiens (la lyre à trois cordes, le tambour, le buccin en corne de vache et la trompette) et à leurs fonctions respectives. Laffage ne manque pas d'établir le rapport et les similitudes avec ceux que nous retrouvons chez les Hébreux.

2. <u>Épreuve sur la musique grecque</u>

Il semble que la musique grecque ait été le thème préféré et le domaine de prédilection d'Antonin Laffage. C'est la tradition musicale qu'il maîtrisa le mieux, sans doute suite à la formation acquise au Conservatoire de Lyon. C'est également sa connaissance de la musique de la Grèce antique qui fut à l'origine de son intérêt pour l'étude des traités des théoriciens arabes anciens et pour la musique arabe qu'il a toujours considérée comme l'héritière de celle des Grecs.

De nombreux documents d'archives, relativement bien ordonnés et complets, concernant la musique grecque, constitués de brouillons, planches, épreuves manuscrites et dactylographiées, avec des transcriptions musicales (échelles, tétracordes, genres, unités métriques), forment une bonne matière à un ouvrage de vulgarisation.

Le document référencié (B. 153 Dos. 10), entièrement manuscrit, de la main de Laffage, porte le titre « Étude sur la musique grecque ». Cette étude, de 264 pages, comprend, outre l'avant-propos et le glossaire, huit chapitres :

I- Les auteurs et préconisateurs de la musique, leur rôle, ce qu'ils firent et comment et de quelle manière le mouvement musical se dessina (de 730 à 580).
II- Ce que fut la musique au temps de Pythagore, les innovations de celui-ci, ses successeurs et ce de 582 jusqu'à la décadence de l'art musical grec (338). II bis - De Sophocle à la conquête macédonienne (338). Période de la décadence de l'art grec de 450 à 338.
III- Le monocorde, les échelles grecques, les modes.
IV- La métrique.
V- La mesure.
VI- La notation.
VII- Le chant et la pratique musicale des grecs. Les instruments.
VIII- Des livres ayant paru sur la musique grecque ou y ayant trait.

Ce dernier chapitre étant une liste bibliographique de 241 titres, écrits ou parus respectivement en français, en italien, en latin, en allemand et en anglais. De nombreux ouvrages sont commentés et pour certains, Laffage mentionne le contenu des différents chapitres qui les composent.

Enfin, dans la dernière partie de cet ouvrage manuscrit, Laffage ajoute un glossaire d'une cinquantaine de pages passant en revue les différents termes techniques de la musique grecque avec significations et notes explicatives.

Outre ce travail exhaustif sur la musique grecque, nous trouvons d'autres documents non moins importants. Citons comme exemples :

- Le document (B. 153 Dos 12), qui est une planche manuscrite grand format, réalisée par Laffage, où nous retrouvons les échelles respectives des modes dorien, phrygien, lydien, hyper-dorien, hypo-dorien, hypo-phrygien et hypo-lydien. Au coin gauche supérieur, l'auteur nota au crayon : « *Modes grecs, leur application à ceux arabes, grégoriens et israélites.* »
- Histoire de la musique grecque (B. 069 Dos. 03).
- De la lyre et du monocorde (B. 054 Dos 10).
- Étude sur Ptolémée 2 siècles ap. J. C. (B. 153 Dos. 11).
- Le document manuscrit de 8 pages (B. 069 Dos. 07), daté du 26-03-1915 et signé A. Laffage, qui est une réponse de ce dernier à une lettre du Baron d'Erlanger, lui demandant informations et éclaircissements à propos des genres diatonique, chromatique et enharmonique des Grecs.

3. Épreuve sur la musique arabe et persane (B. 065 Dos. 06)

Cette étude, de 170 pages dactylographiées, comporte :

- Une introduction sur l'histoire de la musique arabe et persane.
- Partie I : La Gamme, où figure un graphique relatif au manche du *ʿūd* réalisé par Laffage.
- Partie II : Des rapports des sons, de la façon de les calculer. De la consonance et de la dissonance.
- Partie III : De la composition des sons et des modes, où figure une Planche, réalisée par Laffage, avec six représentations circulaires des modes : *ʿuššāq, nawā, būsalik, rāst, zinkulāh* et *iṣfahān*.
- Partie IV : De la mesure et du rythme, avec également une belle représentation circulaire du premier cycle lourd, réalisée par Laffage.
- Partie V : Des instruments.
- Partie VI : Essai de notation musicale. C'est un exposé d'un système de notation de chants figurant dans les écrits de quelques auteurs persans et rapporté par De la Borde.
- Partie VII : Appréciation du système musical des Arabes et des Perses.
- Partie VIII : Aperçu de la musique actuelle des Arabes, Bédouins, Maures, Persans et Turcs.
- Appendice I : Des lois de l'harmonie. Extrait du grand ouvrage philosophique intitulé : *Achlak. Dschellaly.*, traduit en anglais du persan par Fakir Dschany Muhammed Essaad, reproduit ici de l'anglais en allemand (*Ex Oriente lux* [C'est de l'Orient que vient la lumière].
- Appendice II : La littérature arabe et persane dans le domaine musical.
- I Indiqué par M. Kosegarten,
- II Indiqué par le baron de Hammer-Purgstall.
- Appendice III : Répertoire des instruments de musique, que l'on rencontre chez les auteurs anciens et modernes, dans les relations de voyage ou disséminés dans les dictionnaires arabes, persans et turcs ; plus une indication des différentes appellations et des termes techniques dans la musique des Orientaux.

4. Épreuve sur la musique hébraïque (B. 060 Dos. 09)

Cette étude générale sur la musique des Hébreux, d'une centaine de pages dactylographiées, est, vraisemblablement, une synthèse réalisée par Laffage à partir d'ouvrages anciens.

Dans une première partie introductive il est question de données historiques.

La deuxième partie, entièrement consacrée aux instruments de musique des Hébreux, est introduite par quelques données générales sur les sources littéraires qui ont abordé la nomenclature des instruments, leur nombre, leur forme et leur caractère.

Dans le 3e chapitre : Des suscriptions des psaumes, il est question d'instruments de musique et de mélodies. Certains psaumes portent une indication instrumentale souvent conjecturale, d'autres désignent une mélodie, un air ou une chanson connue à l'époque.

Les deux dernières parties sont respectivement réservées au caractère intime de la musique hébraïque et à la littérature traitant de cette tradition musicale.

Dans le chapitre intitulé « Du caractère intime de la musique hébraïque », l'auteur évoque, entre autres, la notation musicale et particulièrement les accents hébraïques. Ces derniers se subdivisent en prosaïques et en métriques. Les prosaïques ne devaient servir qu'à bien lire et les métriques étaient [selon lui] de véritables notes de chant.

Cette épreuve, qui n'est pas la seule, peut être complétée du document (B. 153 Dos. 04), dont le titre est « Livres sur la musique des Hébreux ». Cette bibliographie commentée, comprend une liste de 95 ouvrages antérieurs à 1782 (en français, en italien, en latin, en anglais et en allemand) comportant diverses indications : les noms des auteurs, quelques données sur leurs contenus, l'année de leur parution et leur format.

3.2.4. Les planches, tableaux et graphiques

Antonin Laffage réalisa quelques planches renfermant soit des graphiques, soit des tableaux dans lesquels il consigna données, notes, échelles, rapports, mesures. C'est le cas des 6 tableaux, grand format, manuscrits, numérotés et intitulés respectivement : Rapport des sons (Tableau des principales valeurs acoustiques / dressé par Ant. Laffage), Rapport des sons (suite), Réflexions et observations sur les tableaux (Rapport des sons), Principaux intervalles dissonants et leurs rapports mesurés d'après la note do, Le Oude à 4 cordes doubles. (B. 063 Dos. 13)

1. <u>Planche 006 : Principaux intervalles dissonants et leurs rapports</u>

Dans ce tableau en quatre colonnes, Laffage dresse la liste, avec représentation musicale et rapports arithmétiques, de 14 intervalles dissonants que sont : la seconde chromatique, l'octave diminuée, la seconde mineure, la septième majeure, la seconde majeure, la septième mineure, la seconde augmentée, la septième diminuée, la quinte augmentée, la tierce augmentée, la sixte diminuée, la quarte augmentée et la quinte diminuée. Le tableau comporte également des observations, commentaires et une conclusion, le but, dit-il, étant d'indiquer les principaux intervalles dissonants « *qui s'emploient tous soit mélodiquement soit harmoniquement.* »

2. <u>Planche 008 : Le Oude (à 4 cordes doubles).</u>

> « *Ce tableau démontre la fixation exacte des notes d'après le principe exposé par Farabi* »

Cette planche comprend :

- Un traçage des cordes du *ʿūd* à 4 chœurs doubles, en grandeur naturelle (58 cm) du sillet au cordier (*mocht*) ainsi que l'emplacement des 4 doigts : *sabbāba* (l'index), *wostā* (le majeur), *bincir* (l'annulaire), *khinsir* (l'auriculaire).

- Un exposé précisant l'emplacement de chaque doigt sur la corde, établi selon des rapports mathématiques et les notes obtenues en plus de celle de la corde à vide (*motlaq*).

Laffage recensa au total 17 sons obtenus par l'usage des quatre doigts en plus des cordes à vide et nous fournit la liste nominative de ces notes et leur représentation sur portée en partant de la quatrième corde qui est la plus grave en remontant jusqu'à la première, la plus aiguë.

3.2.5. Les transcriptions musicales

Bien qu'il fut un excellent transcripteur et bien qu'il réalisa de nombreuses transcriptions musicales, souvent accompagnées de notes analytiques, comme c'est le cas des formules de bénédictions et de prières chantées à l'occasion de fêtes juives (*Roscha-chana*, *Pourim*, *Macchabées*, *Kippour*, *Soucott*, *Pessah*, *Scheboout*, etc), Laffage transcrit peu de musique arabe. Cette tâche fut confiée essentiellement à Aḥmad al-Wāfī, à Mrīdaḵ Slāma, à Muḥammad Ġānim et surtout à Ṣālaḥ al-Rafrāfī. Néanmoins il réalisa en 1915 deux transcriptions importantes :

1) Transcriptions musicales de deux chants et d'improvisations (*istiḵbār)* dans des modes tunisiens avec notes du transcripteur. (B. 152 Dos. 10) : les deux premières transcriptions concernent des chants de chameliers et portent les titres respectifs : *Hida* (de l'époque antéislamique) et *Hida* (de l'époque islamique (Ouafi)) ; les transcriptions d'improvisations concernent les modes tunisiens : *raml al-māya, al-raml, al-nwā, al-raṣd* et *al-iṣba'ayn*. Elles sont accompagnées de notes explicatives et d'une approche analytique qui méritent d'être soigneusement étudiées.
2) Transcriptions de 13 préludes instrumentaux dans des modes tunisiens. (B. 157 Dos. 01) : Il s'agit d'*istiftāḥs* de *nūba* du répertoire du *mālūf* tunisien dans les *ṭubū'* (modes) suivants : *ḏīl*, *raṣd*, *raml al-māya*, *'irāq*, *sīkāh*, *nawā*, *iṣba'ayn*, *raml*, *iṣbahān*, *ḥsīn*, *mazmūm*, *māya* et *raṣd al-ḏīl*. Ces transcriptions ont été revues par Ḵmayyis al-Ṭarnān et Ali al-Darwīš en août 1938. Ces derniers avaient simplement rajouté quelques signes d'altérations (essentiellement des demi-bémols) au texte musical, en plus de quelques indications de modes.

Il nous paraît important de nous attarder sur ces transcriptions musicales, à cause de leur importance et de leur précision. En effet, l'examen de ces transcriptions révèle, hormis l'absence d'altérations spécifiques aux modes arabes, des partitions très précises, claires et faciles à lire. Jamais des extraits du *mālūf* n'ont été écrits avec autant de précision et de clarté.

Laffage emploie des mesures à deux temps (2/4), bien qu'il s'agisse de préludes instrumentaux libres *istiftāḥ*. Les transcriptions comportent des indications du mouvement liées au degré de lenteur ou de vitesse dans lequel doit être exécuté l'*istiftāḥ*. Tous les préludes, hormis le *sīkāh* (probablement par oubli), portent l'indication du mouvement placé au commencement du morceau. Laffage choisit le mouvement *Allegretto*. Il emploie également, en les plaçant dans le courant du morceau, des expressions indiquant l'altération du mouvement. L'*istiftāḥ* étant une introduction libre, ne pouvant être interprétée rigoureusement en mesure, la marche du mouvement est constamment modifiée avec de fréquents ralentissements, des sortes d'accélérations et des retours au mouvement initial. Les expressions employées sont donc : *rall* pour *Rallentando* (pour ralentir le mouvement), *Tempo* (pour le retour au mouvement régulier du morceau), Serré ou *Stretto* (pour animer le mouvement).

Les transcriptions comportent également de nombreux points d'orgues, qui permettent de suspendre momentanément le mouvement. Placés sur certains degrés caractéristiques du *ṭba'*, la durée des points d'orgue est laissée à l'interprète qui aura à rallonger ou à raccourcir ces notes spécifiques.

Soucieux de fournir à l'exécutant une partition reproduisant assez fidèlement la version dictée par le détenteur de la tradition et reflétant avec le plus de précision l'exécution de l'œuvre initiale, Laffage porte une attention particulière à l'expression en soulignant le phrasé, l'accentuation et les nuances.

- Le phrasé étant l'observation effective de la ponctuation musicale, qui confère plus de clarté à la pièce et à ses parties constitutives, le prélude est alors découpé en plusieurs dessins mélodiques ou phrases de différentes longueurs séparées, le plus souvent, par des points d'orgue et des silences de courte durée.

- L'accentuation, qui donne du relief aux mouvements mélodiques et qui permet de porter une inflexion particulière et d'articuler le texte musical, est ici indiquée essentiellement à l'aide de la liaison ou coulé. Les liaisons sont placées soit sur des groupements ou suite de notes différentes ou entre deux notes de sons différents. Dans le premier cas, elle indique qu'il faut lier la suite de notes entre elles et en soutenir le son. Dans le second cas, la liaison indique qu'il faut appuyer la première note et laisser expirer la seconde comme une syllabe muette.

- Les nuances, qui ne sont presque jamais indiquées sur les transcriptions de musique arabe traditionnelle, figurent ici sous les abréviations *p* pour *piano* et *f* pour *forte*. Il en est de même des signes indiquant les gradations d'intensité du son : *Crescendo*, *Decrescendo* et *Cres Decres*.

Notons également la présence d'ornements ou notes d'agrément dans certains préludes. Ce sont essentiellement des appogiatures simples et doubles ainsi que quelques *gruppettos* écrits en notes très petites. Laffage fait bien la distinction entre un *gruppetto* et un groupement de triples croches.

Comme nous l'avons déjà mentionné, ces transcriptions musicales comportent de nombreuses indications que nous ne trouvons dans aucune partition de musique arabe. Nous sommes ici en présence d'un grand maître et chef d'orchestre, qui s'est longuement investi pour nous fournir ces partitions datant du début du XXe siècle et ayant trait à la musique traditionnelle du *mālūf*.

Conclusion

Dans la collection Antonin Laffage des archives papiers du Baron d'Erlanger, nous avons regroupé tous les documents manuscrits et dactylographiés (épreuves, résumés, notes, brouillons, fiches, graphiques, tableaux, tablatures, planches, croquis, correspondances, photos, nomenclatures de notes musicales, traductions de termes musicaux, transcriptions musicales diverses, gammes, échelles, structures rythmiques, mouvements mélodiques, partitions complètes, etc.), tous de la main de Laffage et dont bon nombre porte sa signature. C'est une mine d'informations qui nous renseigne sur le travail colossal qu'il réalisa au sein de cette entreprise. Pourtant son nom ne figure dans aucune des publications du baron d'Erlanger. Certes les projets de publication du baron et ses objectifs ont été remodelés à plusieurs reprises comme l'avait constaté Christian Poché lors de sa consultation du « Catalogue général des livres » de l'éditeur Paul Geuthner (Paris 1928-1931). Quatre années après le décès de Laffage (1926), le premier volume de *La Musique Arabe*, publié en 1930, a été entièrement consacré à *al-Fārābī* et qui « *n'est que le prologue d'une série qui devra totaliser 7 tomes.* ». Le tome 7 qui n'a pas été publié renferme nombre de thèmes et chapitres suggérés par Laffage comme

> *« Musique primitive. – Chants sur les trois degrés de la lyre sacrée. – Chants sur quatre, cinq, six degrés de la gamme pentatonique. – Musique hébraïque : gamme "astrale", – Les six Mawājibs (ou lois), Déclamation des mu'allaquat – Chants en souvenir du Prophète – Chants empruntés aux Byzantins. – Chants de l'époque Abbasside. – Chants de l'Espagne Musulmane. – La musique religieuse en Afrique du Nord. La musique moderne dans le monde arabe, oriental et occidental, etc. » (Poché, 2001, p. 12).*

Les recommandations et les souhaits de Laffage ont été maintenus, après son départ, dans nombre de collections comme « La musique hébraïque », qui l'a passionné, ou « La musique des Noirs de Tunisie », qu'il a entamée, ou encore « Les traditions musicales de Tunisie », qui comporte des transcriptions musicales de cris de la rue, de marchands de fruits et légumes, de danses traditionnelles, de chansons de circonstances et de cérémonies de la vie, des chants des bédouins du Sud tunisien, de chants de minorités ethniques comme les touareg qui rappellent ceux figurant dans son premier ouvrage.

Cette mine d'informations, de documents et de travaux musicologiques mérite d'être minutieusement étudiée par une équipe de chercheurs spécialisés pour faire sortir de l'ombre ce musicologue très peu connu et mettre en exergue sa véritable contribution et son apport à la musicologie francophone du Maghreb.

Bibliographie

DARMON, Raoul, Juin 1951, « Un siècle de vie musicale à Tunis », *Bulletin économique et social de la Tunisie* N° 53, Tunis, p. 61-74.

DARMON, Raoul, Juillet 1954, « Le Conservatoire de Musique de Tunis », *Bulletin économique et social de la Tunisie* N°90, Tunis, p. 90-92.

ERLANGER, Rodolphe d', 1917 : « Au sujet de la Musique Arabe en Tunisie », *La Revue tunisienne*, Tunis, Société anonyme de l'imprimerie rapide de Tunis.

ERLANGER, Rodolphe d', 1930-2001 : *La musique arabe, Tome I, al-Fārābī -Grand traité de la musique, Kitābu al-mūsīqī al-kabīr (Livres I et II),* Paris, Paul Geuthner.

ERLANGER, Rodolphe d', 1937 : *Mélodies tunisiennes – hispano-arabes, arabo-berbères, juive, nègre recueillies et transcrites par le Baron Rodolphe d'Erlanger*, Paris, Paul Geuthner.

ERLANGER, Rodolphe d', 1949, 2001 : *La musique arabe,* tome 5, *Essai de codification des règles usuelles de la musique arabe moderne, Échelle générale des sons, Système modal*, Paris, Paul Geuthner.

GARFI, Mohamed, 2006, *La musique arabe, ses chants et ses instruments, par Antonin Laffage,* traduction en arabe et annotations par Mohamed Garfi, Beyrouth, *Dār wa-maktabat al-Hilāl.*

GUETTAT, Mahmoud, 2004, *Musiques du monde arabo-musulman, Guide bibliographique et discographique, Approche analytique et critique*, Paris, Dār al-ʾUns.

LAFFAGE, Antonin, s.d., *La musique arabe, ses instruments et ses chants*, fascicule n° 1, Tunis.

LAFFAGE, Antonin, s.d., *La musique arabe, ses instruments et ses chants. À la recherche de la musique arabe, Mission en Tripolitaine* (1906), fascicules n° 2 et 3, Tunis.

LAMBERT, Paul, 1912, *Dictionnaire illustré de la Tunisie : choses et gens de Tunisie*, Tunis, C. Saliba Ainé éditeur.

LOUATI, Ali, 1996, *Le Baron d'Erlanger et son Palais Ennajma Ezzahra à Sidi Bou Saïd*, Tunis, Simpact.

LOUATI, Ali, s.d., *Musiques de Tunisie*, Tunis, Simpact.

POCHE, Christian, 2001, « Le Baron d'Erlanger le mécène, l'artiste et le savant », *La musique arabe*, Tome 1, Paris, Paul Geuthner.

POCHE, Christian, « LAFFAGE Antonin », *Dictionnaire des orientalistes de langue française*. Notice consultable à l'adresse : http://dictionnairedesorientalistes.ehess.fr/document.php?id=97.

SERRES, Victor, 1905, « Lettre de Tunis » (Tunis, 31 janvier 1905), p. 14-17, *Revue africaine*, publiée par la Société Historique Algérienne, N° 256, 1e trimestre 1905, 49e année, Alger, éd. Adolphe Jourdan.

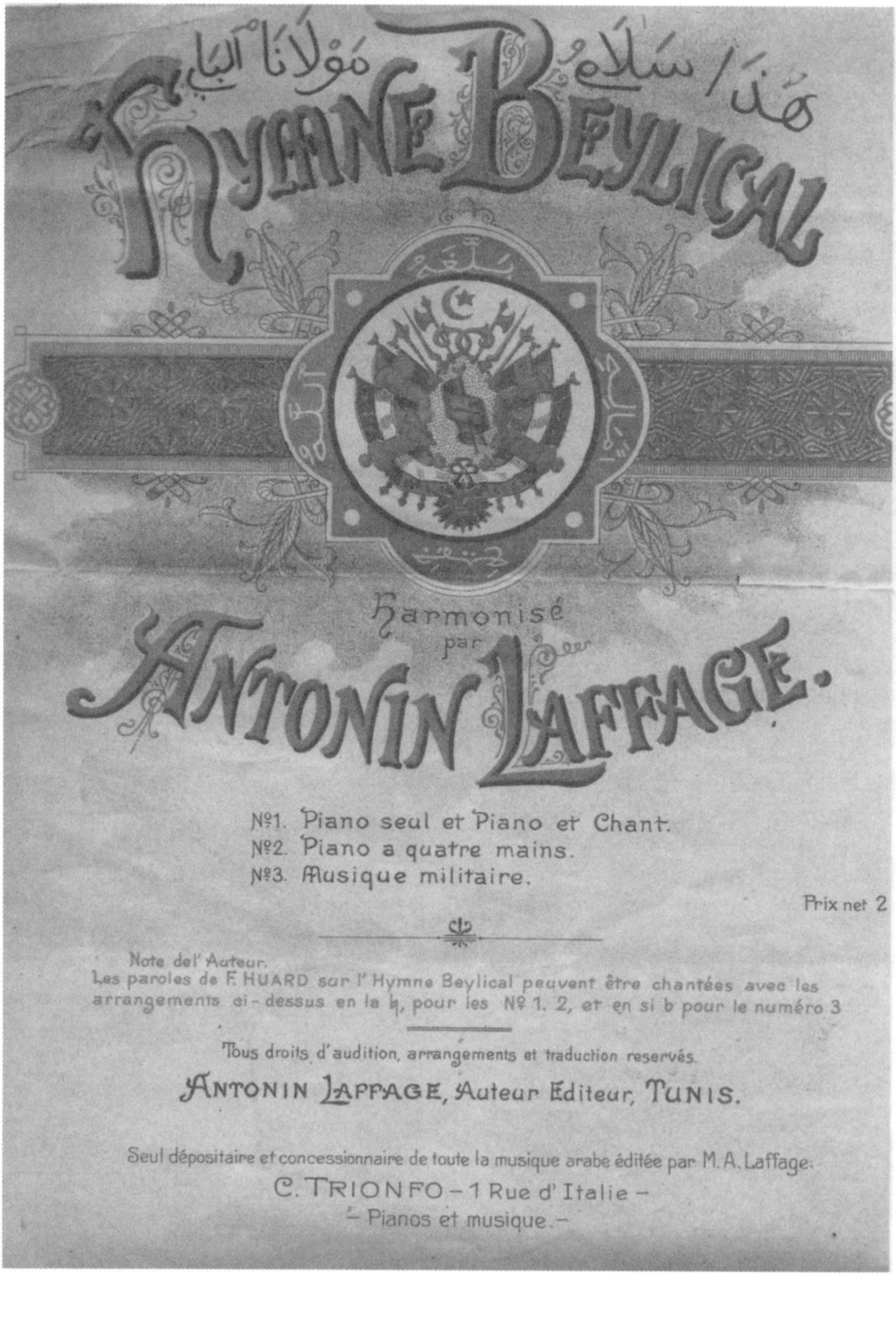
هذا / سلام مولانا الباي
Hymne Beylical
Harmonisé par
Antonin Laffage.
N°1. Piano seul et Piano et Chant.
N°2. Piano a quatre mains.
N°3. Musique militaire.
Prix net 2
Note de l'Auteur.
Les paroles de F. HUARD sur l'Hymne Beylical peuvent être chantées avec les arrangements ci-dessus en la ♮, pour les N° 1. 2, et en si b pour le numéro 3
Tous droits d'audition, arrangements et traduction reservés.
Antonin Laffage, Auteur Editeur, Tunis.
Seul dépositaire et concessionnaire de toute la musique arabe éditée par M. A. Laffage:
C. TRIONFO – 1 Rue d'Italie –
– Pianos et musique. –

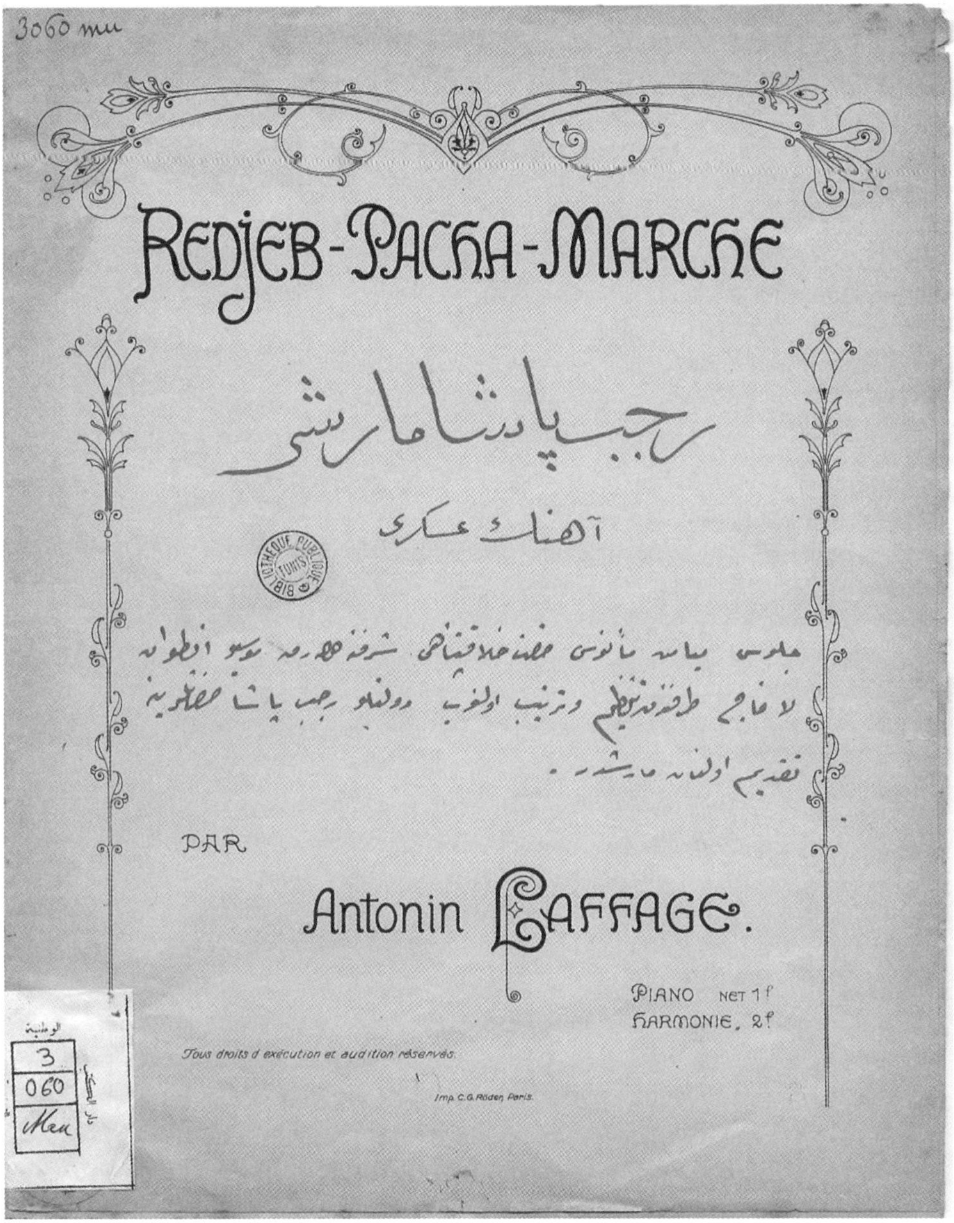
3060 mu
REDJEB-PACHA-MARCHE
رجب پاشا مارشی
آهنك عسكری
BIBLIOTHÈQUE PUBLIQUE TUNIS
PAR
Antonin LAFFAGE.
PIANO NET 1f
HARMONIE. 2f
Tous droits d'exécution et audition réservés.
Imp. C.G. Röder, Paris.
3
060
Mu

A. LAFFAGE

الموزيكة العربية *(El Mouzika elarabia)*

La Musique Arabe

آلاتها وغناياتها (Alatouha ou rinaïatouha)

Ses Instruments et ses Chants

1er Fascicule

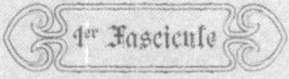

Tunisie. ذكر الجنازة **Dikr jenaza.**

Mélopée que chantent les Arabes aux enterrements sans discontinuer depuis le dép[...]ps jusqu'au cimetière.

Les chanteurs qui suivent le corps porté sur un brancard dans une bière découverte so[...] divisés en deux groupes et reprennent le chant tel qu'il a été transcrit.

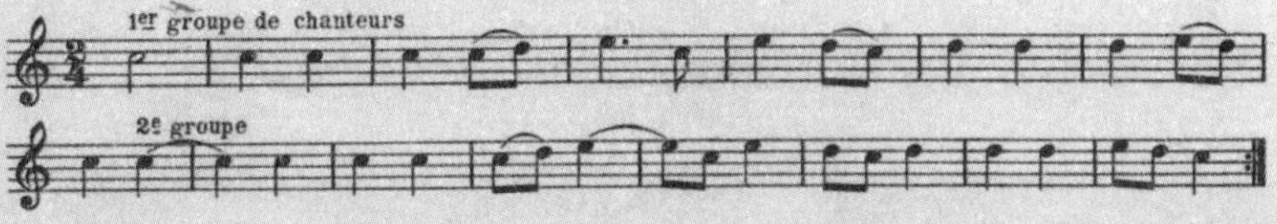

A remarquer dès la 8e mesure un changement de rythme provenant de ce que le secon[...] [...]upe attaque le chant de suite sans attendre le soupir qui s'imposerait dans la musique actuelle.

Tunisie. **Autre air d'enterrement.**

Tunisie. **Musique de Karakous.**

موسيقة الكركوز — **Mousica el Karakouz.**

La transcription ci-dessous est exécutée généralement par deux ou trois personnages, l'un revêtu d'accoutrements excentriques dansant en jouant soit du Tar, soit des Chkacheks, grosses castagnettes en fer blanc et accompagné par le Tebel espèce de grosse caisse. Ce rythme reproduit intégralement ne varie pas jusqu'à la fin de la danse et procure une grande joie aux indigénes. Tous les Tunisiens ont connu le virtuose de ce genre *Salem*, une curiosité exotique de la Régence.

Tunisie. الاستسقاء — **el istiska**

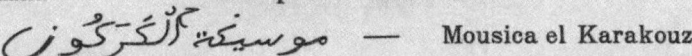

Ceci représente une demande de pluie adressée à Dieu par un nombre considérable de musulmans. Quand il y a une sécheresse par trop prolongeé les Arabes vont par la ville avec leurs bannières et font entendre ces quatre mesures qui durent tout le long de la procession.

XV

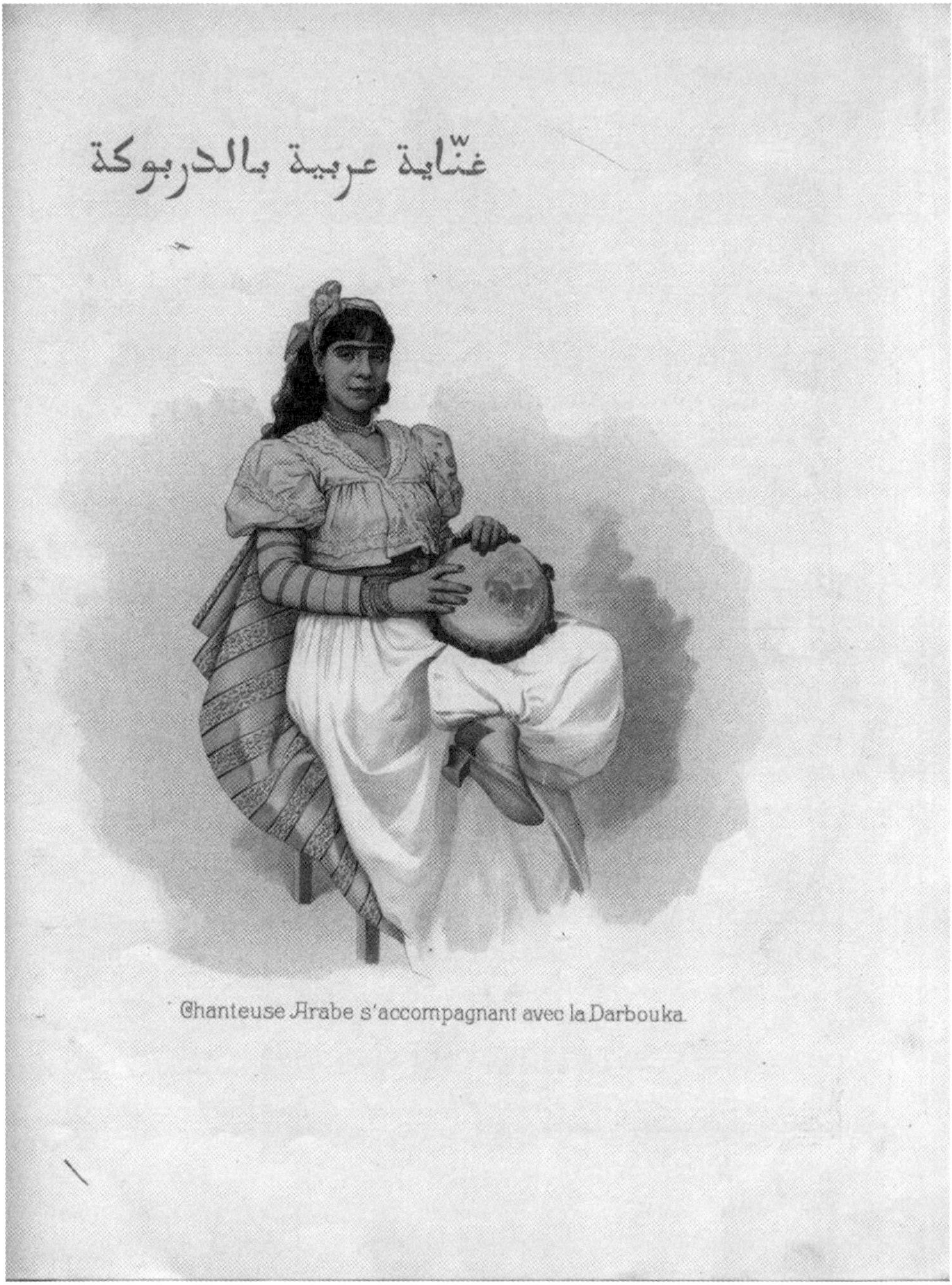

Chanteuse Arabe s'accompagnant avec la Darbouka.

شطّاحة عربية فى الترهيز
Danseuse Arabe dans la Danse du Ventre.

Cartes postales
rapportées de Sousse et Sfax
ayant trait à la Musique Arabe
(Nota) Ces cartes constituent pour moi un examen soit pour les dessins
soit pour la recherche d'instrument

Les 13 préludes composant la Musique Arabe Tunisienne
Dil
Allegretto
Tempo serré
rall
Tempo
et le mi?
Rall
Tempo serré
Tempo
Rall
DC

Estekhbar

Ramel Maya

رمل مايا

Note du transcripteur

Nous sommes incité à développer les considérations particulières sur trois points caracterisant ce mode qui auront ce que nous ne doutons nullement des remarques identiques aux premiers transcrits à savoir 1. sur la tonalité
2. Sur la gamme réelle particulière à ce mode et enfin sur la
3 modalité

Les arabes, aussi bien que les Grecs dont ils ont emprunte et mis au jour leur systeme n'ont pu s'éviter pas plus que les modernes du reste à voir les notes qui obligent tout systeme tonal. Il s'appuyait autrefois comme il s'appuie aujourd'hui sur la tonique, le point fondamental quel qu'il puisse être, puis la quarte et la quinte. Ces trois notes étant justes

Dans le système arabe, reproduit des Grecs, cette observance se manifeste au premier chef. et a ce point si considéré que nous n'avons pas encore vu dans les nombreux manuscrits que nous avons

Ramel - Maya

♩= 138

Le baron Rodolphe-François d'Erlanger et la musicologie francophone en Tunisie

Anas GHRAB*

1. Contexte et motivations

Le baron Rodolphe-François d'Erlanger (1872, Boulogne-Sur-Seine - 1932, Sīdī Bū S'īd), dernier fils du célèbre banquier Émile d'Erlanger, est connu notamment par son Palais Ennejma Ezzahra[1], situé dans la banlieue de Tunis. Il est également réputé comme peintre orientaliste, diplômé de l'Académie Julian de Paris.

On ne sait pas si Rodolphe d'Erlanger avait eu une formation musicale avant de venir à Sidi Bou Saïd, à la fin de la première décennie du XXe siècle, mais son frère Frédéric d'Erlanger, Freddy, était compositeur et il aura avec lui des correspondances autour de la musique[2]. Dans les archives que nous possédons aujourd'hui au Centre des Musiques Arabes et Méditerranéennes (CMAM) et dont l'inventaire et la numérisation sont toujours en cours, les traces de ses activités musicales et musicographiques remontent à la période à laquelle le Baron commence à s'installer à Tunis, autour de 1907, et il sera question de la composition d'un opéra, *La Malia* et aussi d'une notice liée à la location d'un piano, datée du 24 avril 1910.

D'un point de vue musicologique, les six volumes de *La musique arabe* constituent aujourd'hui encore une référence importante pour l'étude des textes arabes sur la musique et les deux derniers volumes demeurent une source théorique sur la musique arabe.

---

* Ancien directeur du Centre des Musiques Arabes et Méditerranéennes ; maître-assistant à l'Institut Supérieur de Musique, Université de Sousse ; chercheur à l'École National d'Ingénieurs de Tunis, Unité Signaux et Systèmes. anas.ghrab@gmail.com.

1 Ce palais héberge aujourd'hui le Centre des Musiques Arabes et Méditerranéennes (http://www.cmam.tn) (Louati, 1995).

2 Notamment vers 1916-1917, cf. Boîte 140 CMAM).

Cependant, le rôle de Rodolphe d'Erlanger dans l'émergence du concept « musique arabe » ainsi que dans l'organisation du premier congrès de musique arabe est encore mal connu. Les étapes de la publication – post-mortem pour la plupart – des volumes de *La musique arabe*, ne sont pas encore clairement identifiées[3]. Surtout, qu'est-ce qui a attiré le peintre Rodolphe d'Erlanger vers l'étude des musiques arabes, savantes et populaires, au point d'y consacrer le reste de sa vie, en y impliquant plusieurs acteurs ? Mis à part le financement de ce travail, quelle est la part de son implication personnelle dans ce projet ?

Le premier personnage qui semble avoir donné cette impulsion est Antonin Laffage (1858-1926), personnage important du milieu musical tunisois depuis la fin du XIXe siècle. Il a publié en 1906 un premier fascicule intitulé *La musique arabe, ses chants et ses instruments* (Laffage, 1906). Ce violoniste, chef d'orchestre et compositeur, était en contact étroit avec Rodolphe d'Erlanger comme l'attestent ses correspondances avec le Baron dès son arrivée en Tunisie. Mais le document fondamental qui annonce cette collaboration et le début du projet d'envergure est un « plan de travail[4] », qui serait daté de la période 1910-1911, où nous pouvons lire de la main d'A. Laffage :

> *Nous devons cette année sans désemparer et de tous les côtés sans nous arrêter à aucune réflexion ni jugement posséder :*
>
> *1. Tout ce qui a été fait, écrit sur la musique arabe ([..] celle grecque, effleurer la grégorienne, les Maures, les Perses, les Romains) – brochures – livres – musique – articles – déroulants de journaux – revues – voyages. Le tout constituera une bibliothèque unique en la matière et dans laquelle nous arriverons forcément à tirer des conclusions probantes, travail de fouinasseurs, de chercheur, qui n'a aucune impossibilité de réussir.*
>
> *2. Les instruments : il nous les faut, ceux des pays d'islam, de tous les pays soumis à l'influence mahométane, et où également cette influence a laissé des empreintes.*
>
> *Nous les possédons à l'heure qu'il est presque tous[5], nous en avons les noms et les spécimens.*
>
> *Il nous restera, chose difficile mais point impossible à établir leur presque origine, leur utilité comme étendue, leur mécanisme, lutherie et exécution. Les airs sur l'instrument et leur parenté avec les instruments similaires et observations qui découleront de leur examen.*

---

[3] Une première lecture a été faite par Christian Poché. Voir la préface du premier volume de la réimpression de *La musique arabe* (Erlanger, 2000). Voir également Guettat, 2004, p. 217-220 ; Davis, 2004, p. 41-50 ; ainsi que la traduction récente en arabe du cinquième volume par Lassaad Kriaa (Erlanger, 2015).

[4] Boîte 76, document 6.

[5] Un rajout dans le texte originel : « sauf les instruments grecs, persans et antiques avant l'empire Mahométan ».

Ce plan initial a été mis tout de suite en exécution puisque nous retrouvons certains de ces livres à la bibliothèque de Rodolphe d'Erlanger ainsi que des correspondances pour l'acquisition des ouvrages de l'époque sur la musique. En outre, le CMAM a hérité de cette collection d'instruments de musique qui constitue aujourd'hui une partie de son musée des instruments de musique.

Par ailleurs, l'homme de lettres Muṣṭafā al-Ka''āk (1903-1976) nous rapporte, peut-être indirectement, que le Baron Rodolphe d'Erlanger organisait à son palais des séances musicales dédiées aux musiques tunisiennes, savantes mais également populaires (Ka''āk, 1981, p. 30). On pouvait y retrouver par exemple l'éminent homme de culture al-'Arbī al-Kabādī (1880-1961), mais également Aḥmad al-Wāfī (1859-1921), maître en chants confrériques à Tunis. C'est avec lui que le Baron s'initie autour de 1914 à la pratique de la musique arabe. Selon les dires du Baron, cela lui a permis de pratiquer lui-même cette musique et d'y composer (Erlanger, 1949, p. 382)[6]. Les archives du palais Ennejma Ezzahra conservent des notations de chants religieux récités et notés, dans une première version, par Aḥmad al-Wāfī. Même si ces documents font remonter la date des premières transcriptions à l'année 1917[7], dès les débuts de la collaboration entre Rodolphe d'Erlanger et Aḥmad al-Wāfī il était question de l'étude des anciens textes arabes, et notamment des tentatives de compréhension du système modal décrit dans le *Kitāb al-Aġānī* et l'utilisation du système alphabético-rythmique exposé par Ṣafī al-Dīn al-Urmawī (m. 1294).

Notre connaissance actuelle des archives de Rodolphe d'Erlanger nous permet de constater également la présence de documents relatifs à la musique dans différentes cultures anciennes : la musique chez les Grecs, les Chinois, les Égyptiens, les Hébreux, outre les informations sur les ouvrages commandés par le Baron. Ceci nous renseigne sur sa volonté de mener des travaux comparatifs sur la théorie et sur l'évolution de ces traditions musicales dans la sphère islamo-arabe[8].

Il est possible donc que d'Erlanger, peut-être motivé par des discussions sur la musique arabe avec Antonin Laffage, voulait comprendre l'histoire générale de la musique, et rédiger un ouvrage sur cette question. Des correspondances qui datent de 1915, montrent qu'il a contacté des musiciens qui ont des connaissances en théorie musicale afin de comprendre principalement « l'échelle générale des sons »[9].

---

[6] La publication de ces propos est *post-mortem*. C'est donc grâce à Mannūbi Snūsī, deuxième secrétaire du baron Rodolphe d'Erlanger qui a poursuivi la publication des volumes de *La musique arabe*, qu'ils nous sont arrivés. Quant à son activité de compositeur dans le style tunisien, nous en avons une trace puisque certains documents de ses archives portent la mention « composition du Baron d'Erlanger ».

[7] Transcriptions de la *'āda šāḏuliyya*, boîte 173. Voir également Hichem Ben Amor, 2012.

[8] Nous trouvons par exemple aussi un compte rendu, de la main d'A. Laffage sur l'ouvrage *The music of the most ancient nations particularly of the Assyrians, Egyptians and Hebrews : with special reference to recent discoveries in western Asia and in Egypt* de Carl Engel (1864), et dans sa bibliothèque *The Music of Hindostan* de A.H. Fox Strangways (1914), la traduction des Harmoniques d'Aristoxène par Henry S. Macran (1902) et des œuvres sur les nombres de Théon de Smyrne, traduites par J. Dupuis (1892), ainsi qu'une liste d'ouvrages qu'il voulait obtenir. Cf. B. 178/6.

[9] Cf. correspondance d'A. Laffage datée du mois de mars 1915 (B. 69/7), en réponse à la demande de renseignements de la part du Baron sur les genres musicaux grecs. Il a contacté également à la même année, autour

En 1919, le travail de collecte et de notation d'exemples musicaux était déjà assez avancé. En effet, le document de la boîte 124/01 répertorie, avec leur état d'avancement au 8 novembre 1919, 18 dossiers avec les indications :

1. Les 26 modes : 1M à 26M (complets);

2. Chants sur les 26 modes ;

3. Des rythmes 1R à 37R ;

4. Noubat al-Asbahène 1NA à 27NA (à copier en arabe);

5. Noubat al-Mazmoum 1NM à 11NM (à copier en arabe);

6. Les Tafaïls 1T à 16T ;

7. Les Muallaqât 1Q à 5Q ;

8. Les Kaçaïds 1K à 5K ;

9. El Hida 1H à 2H (complets);

10. La Aada 1A à 22A (les nos 1, 2, 3, 4, 6, 16 ont leur exemple arabe, les restants sont chez le Cheikh [al-Wafi][10]*;*

11. Chants berbères 1B à ... (2 manquent leur exemple en arabe);

12. Chants andalous 1D à ... (3 manquent leur exemple en arabe) ;

13. Chants tunisiens 1T à 10T (complets) ;

14. Chants marocains 1F à 10F (complets) ;

15. Chants nègres 1G à 12G (complets) ;

16. Chants égyptiens 1i à 8i (complets) ;

17. Chants du Hijaz 1j à 7j (complets) ;

18. Chants hébraïques 1h à ... (à copier en arabe, noter qq. Barrachoua, Azarouts).

Nous voyons donc une volonté de couvrir divers genres et répertoires musicaux arabes et de toucher différentes traditions liturgiques juives et musulmanes, musiques savantes et populaires, de Tunisie et du Monde Arabe[11]. Plusieurs de ces documents sont encore non publiés, et certains seront repris plus tard avec une notation moderne,

---

du mois de septembre, un brigadier du 4e régiment à Sfax afin d'avoir des renseignements sur l'histoire générale des sons, pour rédiger un ouvrage sur la musique (B. 323/19), et aussi un certain Mercier, professeur au collège Alaoui de Tunis (B. 323/18).

[10] Concernant ces documents, voir : Hichem Ben Amor, 2012.

[11] Concernant les documents relatifs à la musique savante tunisienne, *Mālūf*, voir Bouallagui, 2018.

réalisée entre autres par un certain Charles Limonta[12] et peut-être par A. Laffage. L'ouvrage *Mélodies tunisiennes* (D'Erlanger, 1937), qui n'a été publié qu'en 1937 reprend quelques-unes de ces transcriptions.

2. Histoire de La musique arabe

Pour bien suivre la genèse et l'objectif de l'entreprise parue sous le nom de *La musique arabe*, qui concrétise une partie du Plan Laffage-d'Erlanger, il est nécessaire de souligner que le concept de « musique arabe » lui-même est une idée naissante. Au XIXe siècle, il était question de la musique chez les Arabes (Kiesewetter, 1842 ; Lebedeva, 2011, p. 113-143), de la musique chez les Mahométans et de la musique Orientale, avant de commencer à se fixer en ce début du XXe siècle sur l'expression « musique arabe », avec A. Laffage et F. Salvador-Daniel, J. Rouanet et F.-R. D'Erlanger. Une des problématiques fondamentales qui a émergé de ces recherches orientalistes du XIXe siècle et du début du XXe siècle, et qui s'est formalisée avec d'Erlanger, est celle de l'échelle musicale (Ghrab, 2005, p. 55-79). Cette question est tellement essentielle pour lui qu'il la place comme condition intrinsèque à la définition même de « musique ». Ainsi nous lisons dans son article « L'archéologie musicale » (D'Erlanger, 1930, p. 47), paru peu avant le Congrès du Caire :

> *Le chant des oiseaux, ou encore celui de certaines peuplades primitives qui ne connaissent pas d'échelle musicale, n'appartiennent donc pas à la musique.*

C'est donc principalement pour répondre à la question de l'échelle qui s'était posée depuis le XIXe siècle que le projet de recherche sur *La musique arabe* a été entamé, que ce soit dans sa forme de livre ou par l'organisation du Congrès du Caire. En 1915, le Baron était en pleine aventure dans sa volonté de comprendre l'échelle musicale, qui ne devait pas être limitée à la culture arabe, mais une sorte d'histoire générale de l'échelle musicale.

Le baron Rodolphe d'Erlanger envoie une lettre à Antonin Laffage lui demandant de lui expliquer ce que sont les genres musicaux des Grecs. Laffage lui répond, le 25 mars 1915 : « Cela m'est facile aujourd'hui. Je connais tout à fait maintenant le sujet de la question et je développerai à l'aise ». Laffage entame alors une explication des genres diatonique, chromatique et enharmonique.

Mais après quelques mois de travail sur la musique grecque, Rodolphe d'Erlanger ne semble pas satisfait du travail effectué par Laffage. Il lui écrit dans une lettre datée du 14 septembre 1915 : « J'ai dû malheureusement refaire la musique grecque et aussi tout le commencement de notre travail qui contenait beaucoup d'inexactitudes, et j'en relève encore. Il est regrettable que vous n'ayez pas songé à indiquer à chaque fois l'ouvrage qui vous a servi. Cela m'eût évité une perte de temps. J'ai besoin en ce moment de la traduction de Forkel[13] concernant les Hébreux puisqu'elle n'est pas

---

[12] Des symboles modernes liés aux intervalles de « quarts de ton » y seront également rajoutés, peut-être par Ḵmayyis Tarnān qui en a fait la révision.

[13] Il s'agit probablement de Johann Nikolaus Forkel, 1788, *Allgemeine Geschichte Der Musik*, Leipzig, s.n..

chez moi, elle doit être chez vous ». Le même jour, le 14 septembre 1915, R. d'Erlanger envoie une correspondance, sur recommandation de Laffage, à un certain Mercier enseignant au collège Alaoui à Tunis, lui demandant de faire une étude sur l'échelle des sons, qui serait un complément à son ouvrage.

En parallèle, comme annoncé dans le *Plan* avec Laffage, mis à part la collecte d'ouvrages, il fallait également collecter des manuscrits et commander des copies de manuscrits arabes sur la musique. Cette tâche n'était pas du tout aisée. Ainsi, par exemple, dans une lettre datée du 15 avril 1916, R. d'Erlanger informe son frère Freddy (Frédéric Alfred d'Erlanger[14]) qu'il avait demandé à Catherine[15] d'obtenir des copies de manuscrits au British Museum, que son fils Léo d'Erlanger[16], résidant à Londres, devait payer. Le 20 octobre 1917, R. d'Erlanger n'avait toujours pas pu obtenir de copies du British Museum, puisque dans cette autre correspondance à Freddy il l'informe qu'il a écrit à Émile, probablement très occupé par le milieu des affaires, pour lui demander de rappeler à Catherine sa requête concernant les manuscrits du British Museum. Mais finalement, écrit R. d'Erlanger à Freddy, il a rencontré le consul anglais à Bizerte, ami du directeur de la bibliothèque. On imagine que c'est par cette voie que d'Erlanger a pu recevoir une copie des manuscrits de Londres. Nous connaissons aujourd'hui l'importance de ces copies des corpus du British Museum, car ils contiennent les textes les plus importants qui lui ont permis par la suite de réaliser les quatre premiers volumes de *La musique arabe* : les textes des troisième et quatrième volumes n'existent que dans ces copies.

L'aventure ne fait que commencer puisqu'en 1917 il cherchera à obtenir la copie d'al- Fārābī à Milan et en 1918 en Égypte. Ainsi, différentes correspondances de R. d'Erlanger montrent qu'il a entamé cette recherche de manuscrits arabes sur la musique, qu'ils soient à Londres, Paris, Milan, Madrid, au Caire, à Istanbul ou au Liban, utilisant le réseau de ses connaissances, et c'est une activité continue jusqu'en 1928[17] ; elle a été ensuite une thématique spécifique au Congrès du Caire de 1932, avec le spécialiste émergeant dans ce domaine, Henry Georges Farmer[18].

La traduction de ces textes n'a pas été une tâche facile non plus. Il est certain que ʿAbd al-ʿAzīz al-Bakkūš (Baccouche), qui aurait fait figure de premier secrétaire du

[14] Frédéric Alfred d'Erlanger (1868-1943), un des quatre frères d'Erlanger, était compositeur et François-Rodolphe d'Erlanger lui écrivait assez régulièrement à cette période-là et lui parlait du projet *La musique arabe*.

[15] Marie Rose Antoinette Catherine (1874–1959), femme du frère banquier Baron Émile Beaumont d'Erlanger (1866-1939).

[16] Contrairement à François-Rodolphe d'Erlanger, le fils Léo d'Erlanger (Léo Frédéric Alfred d'Erlanger, 1898-1978) évoluera dans le milieu des affaires en devenant le premier responsable de la banque Erlanger & Söhne, qu'il hérite de son oncle Émile Beaumont d'Erlanger et de son grand-père Frédéric Émile d'Erlanger (1832-1911).

[17] Il faut noter que Rodolphe d'Erlanger ne s'intéressait pas seulement aux manuscrits sur la musique, mais également à plusieurs aspects touchant à la civilisation arabo-musulmane. La majorité de ces manuscrits ont été transférés à la Bibliothèque Nationale de Tunisie.

[18] Henry Georges Farmer a commencé à étudier les manuscrits arabes et l'histoire suite à ses travaux universitaires sur Salvador-Daniel. Il suivait encore des cours d'arabe, alors que Rodolphe d'Erlanger avait fini la traduction préliminaire des textes de la *musique arabe* et s'apprêtait à les imprimer.

Baron, avait un rôle primordial. Il faisait la demande de copie de manuscrits, puisque le colophon de certains indique explicitement que la copie a été faite à sa demande. Mais est-ce que ʿAbd al-ʿAzīz al-Bakkūš faisait une première traduction des textes ? C'est bien possible, mais cela se faisait sans aucun doute en étroite collaboration avec Ḥasan Ḥusnī ʿAbd al-Wahhāb (1884-1968) – personnage central et ami proche de R. d'Erlanger, dès son installation à Sidi Bou Saïd et jusqu'à son décès –, qui se focalisait sur la recherche biographique concernant les différents auteurs et personnages historiques. D'ailleurs, une correspondance datée du 15 septembre 1916, de Ḥ. Ḥ. ʿAbd al-Wahhāb au Baron, inclut des recommandations de lectures pour les biographies d'al-Fārābī et d'al-Lāḏiqī, « qui pourraient être exploitées par Sidi Aziz ». Il faut souligner ici, que même si l'article de Ḥ. Ḥ. ʿAbd al-Wahhāb, « Le développement de la musique arabe en Orient, Espagne et Tunisie », paraît en 1918, la copie dactylographiée montre que cet article, qui, aux dires de 'Abd al-Wahhāb lui-même, était rédigé sous l'initiative et les encouragements de R. d'Erlanger, était déjà entièrement rédigé en 1916 ('Abd al-Wahhāb, 1918, p. 106-117) [19].

Dès 1919, le contact avec Paul Geuthner est fait pour la restauration d'un manuscrit. Le 17 septembre 1921, sur recommandation de Geuthner, R. d'Erlanger contacte Yūsuf Ilyās Sarkīs (1856-1932) pour toute demande de manuscrits orientaux. D'Erlanger était à la recherche de textes d'al-Mawṣilī et lui demande une liste des manuscrits qu'il possède sur la musique. Une « entrée en la matière [de la théorie musicale] » a été évoquée en décembre 1921, et cet échange se poursuivra au moins jusqu'en 1928. Celle-ci concernera divers textes dont ceux d'al-Fārābī, d'al-Urmawī, d'Ibn Ġaybī, d'Ibn al-Taḥḥān, d'al-Kindī et d'Ibn-al-Munajjim. Ḥasan Ḥusnī 'Abd al-Wahhāb est toujours un collègue fidèle au Baron d'Erlanger, et à travers lui l'Égyptien Aḥmad Taymūr (1871–1930) sera contacté le 9 septembre 1913 : d'Erlanger était encore à la recherche du second livre d'al-Fārābī et espérait que cela lui permettrait d'élucider le mystère de la théorie d'Isḥāq al-Mawṣilī présentée à travers Abū al-Faraj al-Iṣfahānī[20], ce qu'il indiquera également à Sarkis (corr. du 8 décembre 1923). Sur recommandation de Sarkis, R. d'Erlanger contactera également le même jour Nicolas Sursock (1875-1952) au Liban. Il indiquera dans sa correspondance qu'al-Fārābī a été traduit – non sans grande peine, que cela a pris plusieurs années – , et que le texte d'Ibn Ġaybī n'a pas encore été traduit et qu'il a reçu également un fragment d'al-Kindī.

En février 1924, l'état d'avancement était tel que d'Erlanger cherchait la meilleure offre pour commencer l'édition de trois textes et d'un volume musical, dont la notation devait être faite par Charles Limonta. Cependant, il n'a toujours pas reçu le travail et il présente des difficultés de compréhension. En 1923, il avait contacté Louis Massignon pour l'aider à la traduction, qui lui a recommandé D. Misconi, docteur ès

---

19 Cet article sera le fondement du chapitre sur la musique, publié en 1966 dans le deuxième volume de *Waraqat*.

20 Cette thématique sera encore présente bien plus tard. Voir par ex. : Ibn al-Munajjim, 1976.

lettres de Budapest, habitant Paris. D'Erlanger lui écrit le 24 mai 1924 concernant la signification d'*al-Hay'a*[21], qu'al-Fārābī aborde dans le *Kitāb al-Mūsīqā al-Kabīr*.

Le 8 juin 1924, une partie d'al-Fārābī a été traduite par Misconi, qui s'excusera le 10 octobre 1924 pour être en retard dans le travail. Le 28 octobre 1924, d'Erlanger écrit à Sarkīs en lui indiquant que le premier livre d'al-Fārābī a été scrupuleusement étudié, corrigé et traduit, mais qu'il est toujours à la recherche du « second livre » d'al-Fārābī. En 1925, il cherchera à obtenir des manuscrits tucs, via Sarkīs, et contactera également Théodore Reinach.

Mais mis à part la traduction de textes, le Baron d'Erlanger avait pour ambition de rédiger un volume indépendant sur « La musique dans l'empire islamique ». Le texte était à un stade avancé et dactylographié. Une version en arabe a également été entamée par Ḥasan Ḥusnī 'Abd al-Wahhāb. Mais R. d'Erlanger avait besoin de la lecture d'une autorité dans le domaine de l'histoire de la civilisation et des sciences islamiques. En 1925, il reçoit les commentaires critiques de M. Louis Poinssot, alors directeur des services des antiquités à Tunis, ce qui l'a sans doute découragé de publier ce travail. Néanmoins, en ce qui concerne la finalisation de la traduction, il a fait appel au Baron Carra de Vaux vers 1926, tandis que Mannūbi Snūsī suivait toute la correspondance avec Geuthner. Carra de Vaux a poursuivi ce travail de révision et de finalisation des traductions, même après le décès de Rodophe d'Erlanger. Sa relation avec Mannūbi Snūsī était devenue plus amicale. Il faut souligner toutefois que suite au Congrès du Caire, Henry Georges Farmer, qui jouera également un rôle important dans ce domaine, préfacera le quatrième volume.

Ces traductions concernent les versions parues chez Geuthner depuis 1931 dans les quatre premiers volumes de *La musique arabe*, mais également d'autres qui sont restées au stade de textes dactylographiés, dont des textes d'al-Kindī et d'Ibn al-Munajjim.

3. Rodolphe d'Erlanger et l'enregistrement sonore

Après qu'un travail d'envergure lié à la transcription musicale des différentes traditions ait été entamé, R. d'Erlanger découvre l'enregistrement sonore comme moyen de transcription. Une trace dans un carnet de correspondances daté de 1924 évoque un appareil d'enregistrement qui aurait été envoyé au Hoggar. Également, des correspondances datant de 1930, entre R. d'Erlanger et un certain Alfred Blanc nous informent que R. d'Erlanger, ou des personnes qu'il a chargées, ont enregistré plusieurs disques, dont un nombre important a été détruit pendant le transport. En effet, suite à un litige porté par le baron d'Erlanger, nous lisons dans la lettre datée du 12 mars 1930[22] et rédigée par un certain A. Blanc qui a reçu les disques de la société de transport :

> *« J'ai examiné moi-même le contenu de la caisse [de disques] et sur les 15 disques 4 seulement sont intacts, ce sont ceux numérotés : 5, 7, 8 et 11, -*

---

[21] Qu'on pourrait traduire par « la forme [apparente] ».

[22] B. 323.

les numéros 1, 14 et 15 ont une fente, - et les numéros 9, 10 et 12, deux fentes ; quant aux numéros 2, 3, 4, 6 et 13, ils sont très abimés ».

Il est bien possible que les enregistrements restants sont ceux conservés aujourd'hui à Berlin. Des enregistrements, aujourd'hui numérisés, attribués à R. d'Erlanger sont conservés au Berliner Phonogram-Archiv (Ziegler, 1995)[23]. À noter également que la venue de Robert Lachmann en Tunisie entre 1927-1929[24] est également accompagnée d'une série d'enregistrements, comme l'indique le catalogue de Berlin (Ziegler, p. 27) :

Lachmann, Robert. Nordafrica, 1919 (36 Walzen)

Lachmann, Robert. Beduinen/Kabylen, 1927 (47+48 Walzen)

Lachmann, Robert. Libyen, 1927 (15+6 Walzen)

Lachmann, Robert. Tunesien, 1929 (183 Walzen)

D'Erlanger, Rodolphe. Nordafrica, 1929 (11 Walzen)

D'Erlanger, Rodolphe. Touareg, 1929 (15 Walzen)

Ainsi, R. d'Erlanger a saisi toute l'importance de l'enregistrement sonore, et à la même période, en 1930, un article lui a été publié à la *Revue Musicale*, intitulé « L'archéologie musicale » (D'Erlanger, 1930, p. 45-50). Celle-ci serait une « science naissante » où « le phonographe joue pour elle le même rôle que le microscope pour l'embryologue ». Il note également :

L'institut de psychologie de l'Université de Berlin a créé une bibliothèque de disques phonographiques qui constitue la plus belle collection de ce genre en Europe. Depuis la guerre, l'Institut de Phonétique de la Sorbonne a des archives musicales. Des centaines de disques sont à étudier et à transcrire. Diverses missions scientifiques vont bientôt rapporter de nouveaux enregistrements et enrichir la Bibliothèque de l'Institut de Phonétique de Paris. Ne serait-il pas regrettable de voir tant de documents s'entasser sans profit pour la Science et pour l'Art ? Les quelques musiciens qui se sont consacrés à cette tâche se sentent débordés (D'Erlanger, 1930, p. 50).

C'est donc dans cet esprit qu'il a participé à la préparation du Congrès du Caire de 1932. Il a contacté, avec acharnement Erich Moritz von Hornbostel à Berlin et Hubert Pernot à Paris, afin de demander des devis sur les frais liés à l'enregistrement et sur la

---

[23] Un extrait de musique de Touareg attribué à R. d'Erlanger a été publié en CD dans le coffret 'Music! 100 Recordings, 100 Years of the Berlin Phonogramm-Archiv, 1900-2000.' sous le titre "Caravan Song Of The Tuareg Of The Sahara. Tunisia".

[24] Les archives de R. d'Erlanger conservent peu de traces sur cette visite. Nous ne trouvons aucune correspondance R. Lachmann-R. d'Erlanger, mais seulement une correspondance indirecte de la part de R. Lachmann à Léo d'Erlanger, après le décès de R. d'Erlanger, afin de le soutenir financièrement pour la constitution d'un département d'étude des musiques non-européennes à l'université hébraïque de Jérusalem. Cependant Lachmann parle de sa rencontre avec d'Erlanger dans une correspondance à H. G. Farmer (Katz, 2015, p. 127–28). Le séjour de Lachmann en Tunisie était focalisé sur les liturgies juives à l'île de Djerba. Le contact avec les acteurs locaux a été effectué grâce à Ḥasan Ḥusnī 'Abd al-Wahhāb.

possibilité de garder les appareils d'enregistrement après le Congrès. Il a probablement contacté également la société britannique Gramophone pour le même sujet.

Conclusion

Suite à cette lecture de plusieurs documents et correspondances aujourd'hui présents dans les Archives du baron Rodolphe d'Erlanger, nous pouvons mieux cerner le rôle et la démarche entamée par le Baron ainsi que les mécanismes de travail et d'évolution de cet immense projet *La musique arabe*. Le Baron, introduit à cette thématique par Antonin Laffage, a utilisé et développé son réseau de contacts afin de répondre notamment à une question qui s'était posée au XIXe siècle. Les différentes thématiques engendrées et élaborées ont elles-mêmes induit l'élargissement du réseau afin de toucher des recherches spécialisées : Antonin Laffage, Aḥmad al-Wāfī, puis toute l'équipe de musiciens pour les traditions musicales en Tunisie, Ḥasan Ḥusnī 'Abd al-Wahhāb, pour l'histoire sociale de la musique d'après les textes arabes, puis son réseau national pour le développement d'un travail « ethnomusicologique », Carra de Vaux pour la traduction et l'analyse des textes arabes théoriques, Iskander Šalfūn puis ʿAlī Darwīš, pour l'étude de la grande tradition musicale du Mašriq, qui récupèrera finalement, et suite au Congrès du Caire, la dénomination « musique arabe ».

C'est bien la volonté personnelle de Rodolphe d'Erlanger de mener ce projet, avec acharnement, mettant toute son administration, avec, à sa tête ʿAbd al-ʿAzīz al-Bakkūš et Mannūbi Snūsī, qui nous offre aujourd'hui toute cette documentation riche et variée, entre manuscrits, textes traduits – publiés et non publiés –, transcriptions de différentes traditions, codification théorique, enregistrements sonores. En se détachant du milieu financier pour s'adonner à la peinture et à l'observation, dans un contexte colonial, juif par ses origines, chrétien par sa culture, musulman par son cadre spirituel et social, cette volonté dépasse certainement la quête de réponses à des problématiques scientifiques pour témoigner également d'une quête de l'humain à travers son histoire et son identité.

Bibliographie

'ABD AL-WAHHĀB, Ḥasan Ḥusnī, 1918, « Le développement de la musique arabe en Orient, Espagne et Tunisie », *Revue Tunisienne*, Vingt cinquième année.

BEN AMOR, Hichem, 2012, *Al-ʿĀda*, Tunis, CMAM.

BOUALLAGUI, Maryem, 2018, *al-Mudawwināt al-mūsīqiyya al-mutaʿalliqa bi-aršīf al-bārūn rūdūf dīrlanǧī*, mémoire de master sous la dir. Anas GHRAB, Université de Sousse.

DAVIS, Ruth F., 2004, *Maʾlūf: Reflexions on the Arab Andalusian Music of Tunisia*, Scarecrow Press.

ERLANGER, Baron Rodolphe d', 1930, « L'Archéologie musicale, un vaste champ d'investigation pour les musiciens de la jeune génération », *La Revue musicale*, 11e année, p. 45-50.

ERLANGER, Baron Rodolphe d', 1937, *Mélodies tunisiennes : hispano-arabes - arabo-berbères - juive - nègre, recueillies et transcrites par le baron Rodolphe d'Erlanger*, Bibliothèque Musicale du Musée Guimet, dirigée par Philippe Stern, première série - Tome III, Paris, P. Geuthner.

ERLANGER, Baron Rodolphe d', 1949, *La musique arabe T. V : Essai de codification des règles de la musique arabe moderne.-Échelle générale des sons- Système modal*, 6 vol., Paris, Paul Geuthner.

ERLANGER, Baron Rodolphe d', 2015, *al-Mūsīqā al-ʿarabiyya*, traduction arabe critique commentée par Lassaad Kriaa, revue et préfacée par Nidaa Abou Mrad, Tunis, CMAM / Sotumedias.

FORKEL, Johann Nikolaus, 1788, *Allgemeine Geschichte Der Musik*, Leipzig, s.n.

GHRAB, Anas, 2005, 'The Western Study of Intervals in "Arabic Music" from the Eighteenth Century to the Cairo Congress', *The World of Music*, 48, p. 55-79.

GUETTAT, Mahmoud, 2004, *Musiques du monde Arabo-Musulman, Guide bibliographique et discographique, Approche analytique et critique*, Paris, Dār al-Uns.

IBN AL-MUNAJJIM, Yaḥyā ibn ʿAlī, 1976, *Risālat ibn al-Munağğim fī al-mūsīqā wa-kašf rumūz kitāb al-aġānī*, Yūsuf Šawqī (ed.), Le Caire, al-Hayʾa al-Miṣrīyah al-ʿĀmmah lil-Kitāb.

KAʿʿĀK (al-), ʿUṯmān, 1981, *Al-šaykẖ Aḥmad al-Wāfī*, éd. par Ṣālaḥ al-Mahdī, Maʿa al-Fann wa-al-Fannānīn, 2, Tunis, Al-Maʿhad al-Rašīdī.

KATZ, Israel J., 2015, *Henry George Farmer and the First International Congress of Arab Music (Cairo 1932)*, ed. by Sheila M. Craik and Amnon Shiloah, Islamic History and Civilization, 115, Brill.

KIESEWETTER, Raphael Georg, 1842, *Die Musik der Araber: nach Originalquellen dargestellet*, Breitkopf und Härtel.

LAFFAGE, Antonin, 1906, *La musique arabe : ses instruments et ses chants*, impr. E. Lecore-Carpentier.

LEBEDEVA, Nadejda, 2011, 'Rezeptionswege Der Arabischen Musik in Der Ersten Hälfte Des 19. Jh. Und R. G. Kiesewetters Die Musik Der Araber', *Asiatische Studien*, 65, p. 113-143.

LOUATI, Ali, 1995, *Le Baron d'Erlanger et son Palais Ennajma Ezzahra à Sidi Bou Saïd*, Tunis, Simpact.

ZIEGLER, Susanne, 'Die Walzensammlungen des Ehemaligen Berliner Phonogram-Archivs', *Baessler-Archiv*, 43, p. 1-34.

Discographie

ERLANGER, Baron Rodolphe d', "Caravan Song of the Tuareg of the Sahara. Tunisia", *Music! 100 Recordings, 100 Years of the Berlin Phonogramm-Archiv, 1900-2000*', Mainz, Wergo, p. 2000.

Résumés

Mahmoud Guettat, ***La musique arabe modèle d'un dialogue entre les cultures***

Chargée de symboles, la musique puise son existence dans l'aventure de l'humanité. L'art musical arabe en fournit à travers sa longue histoire, et encore de nos jours, une éclatante démonstration. Une "*Grande Tradition Musicale*" symbole d'une profonde symbiose, s'est imposée comme une véritable langue de dialogue entre les différentes composantes de la large Communauté arabo-musulmane, et au-delà... Ainsi, il s'est codifié au cours des siècles un tronc commun multinational, un langage de dialogue et d'échange, qu'on a souvent tendance à réduire à la simple confluence arabo-irano-turque, mais dont la constitution est en réalité, beaucoup plus vaste et plus complexe. Témoin d'un passé musical riche et fructueux, ce patrimoine conserve encore de nos jours – malgré ses multiples nuances – une réelle cohérence technique et artistique. Celle-ci, se dégage à la première écoute comparative, avec toutefois une originalité spécifique qui transparaît à travers une riche mosaïque de répertoires, de genres et de styles, dont les structures internes, aussi bien spatiales que temporelles, obéissent à une série de lois consacrées à la fois par la tradition, le goût et les inflexions dialectales et phonétiques propres au génie de chaque groupe social... Il est évident qu'aujourd'hui, nous vivons une ère d'éclectisme marquée par la découverte accrue des musiques du monde entier, mais aussi alourdi par l'impact de plus en plus contraignant des multinationales, des moyens de diffusion, d'industrialisation et de commercialisation... Et s'il est aisé de constater que dans le contexte actuel, les musiques arabes connaissent une réelle explosion (concerts publics, disques, publications, etc.), il y a lieu de s'interroger sur leur avenir et, par conséquent, sur la survie de la diversité musicale en général. Cependant, malgré cet imbroglio déconcertant, les efforts louables d'un réel renouveau du dialogue continuent à s'imposer sur la scène musicale, limitée certes, mais convaincue qu'il faut aller au-devant des événements et non attendre passivement les effets d'une mondialisation aliénante qui risque d'être fatale. Et il va sans dire que le meilleur et le plus efficace des dialogues est celui que peut offrir la musique à travers toute sa diversité !

Mots-clés : L'art musical arabe. Héritage musical arabe. L'aire musicale arabo-musulmane. Grande tradition musicale. *Nūba*. Tradition maqamique arabe. Universalité musicale. Renouveau musical. Diversité musicale. Modernisme. Mondialisation.

Mohamed Gouja, ***Musicologie francophone arabe et maghrébine : l'œuvre de Mahmoud Guettat, approches émiques des traditions musicales***

Mahmoud Guettat représente indéniablement une des figures les plus illustres de la Tunisie et du monde arabe, en matière de musicologie arabe, arabo-musulmane, maghrébine et universelle. Son œuvre musicologique générale qui rassemble dix livres et deux cents articles scientifiques publiés, dont 90 rédigés essentiellement en langue française, mais également et en moindre proportion, en espagnol, en italien et en anglais, constitue par sa diversité et sa richesse, une référence scientifique incontournable pour tous les chercheurs en musicologie, en histoire de la musique et de la civilisation du monde arabo-musulman, en anthropologie, en sociologie de la musique et en bien d'autres domaines de la pensée et de l'investigation musicologiques.

Mots-clés : L'œuvre musicologique de Mahmoud Guettat. Musicologie francophone arabe et maghrébine. Musicologie tunisienne. Anthropologie et sociologie de la musique. Histoire de la musique arabo-musulmane. Maghrébinité musicale.

Samir Becha, *La fondation institutionnelle de la musicologie en Tunisie : contextes, prétextes et nécessités*

C'est à partir des idées et des approches de la musicologie systématique française que la fondation institutionnelle de la musicologie en Tunisie a vu le jour en 1982. Pendant cette période, jugée comme déterminante au niveau de l'enseignement des arts et des cultures, Mahmoud Guettat a été désigné par le Ministère des Affaires Culturelles pour élaborer une conception et une stratégie propres à la Tunisie en vue de fonder l'Institut supérieur de musique de Tunis. Cet article parle des premières tentatives institutionnelles de la musicologie en Tunisie, également des contextes, des prétextes et des nécessités de la création de l'ISMT.

Mots-clés : Musique. Musicologie. Institut. Tunisie. Mahmoud Guettat.

Fériel Bouhadiba, *Tunisianité, maghrébinité, méditerranéité : musiquer les cercles d'appartenance*

Se définissant dans les sources de son passé, dans son présent et dans son devenir, l'identité se détermine dans une essence ontologique triadique. Traiter des contours de l'identitaire dans les liens qui unissent tunisianité, maghrébinité et méditerranéité implique ainsi d'emblée une prise en considération de cette triade et à travers elle des données relatives au préalable, à l'inclusif et au mouvant. Nous nous intéresserons à ce titre au musical en tant que sphère d'appropriation du culturel à travers ce que nous nommons : les *cercles d'appartenance*, les *cercles contenants ou inclusifs* et les *cercles dialoguants*, l'ensemble interagissant avec une *teneur nomade* et une *teneur sédentaire* du musical.

Mots-clés : Identité. Tunisianité. Maghrébinité. Méditerranéité. Appartenance.

Fériel Bouhadiba. *Rives euro-méditerranéennes et entrelacs musicologiques : la francophonie et l'apport de l'Autre*

Poussée par le désir de connaître, hissée par l'endurance du quêteur, l'histoire des sciences s'est construite en une part importante par le fait de grands voyageurs. Jonchée de difficultés, elle est également jalonnée de rencontres. L'histoire des sciences humaines, qui placent la centralité de l'humain au cœur de leurs préoccupations – et plus particulièrement l'histoire de la musique et de la musicologie – ne saurait se séparer des notions de partage et d'échange. Si la circulation des savoirs va de pair avec la circulation des êtres – à la fois effective et virtuelle à travers leurs œuvres – et s'il nous est permis de penser qu'une part du développement des sciences et de l'intellect est reliée au développement des rapports humains, nous pouvons donc observer la construction des réseaux internationaux en un domaine donné à travers la bilatéralité d'une relation humaine. Dans la sphère francophone et en matière musicologique, la langue a été un atout majeur pour la rencontre, la connaissance de l'autre, l'échange et la construction en commun d'une pensée musicologique. Il s'agit dans cet article de circonscrire notre réflexion à un certain nombre d'échanges musicologiques fondateurs. Nous nous intéressons notamment au parcours universitaire de Mahmoud Guettat en France et à son impact sur la construction de la musicologie tunisienne au plan académique particulièrement à travers la fondation de l'Institut Supérieur de Musique de Tunis. Nous nous référons également à Mohamed Zinelabidine et aux rapports humains qui ont permis la construction de réseaux et de partenariats franco-tunisiens en matière musicologique. En remontant plus loin dans le temps, la rencontre qui s'est instaurée au Palais Ennejma Ezzahra à Sidi Bou Saïd durant la première moitié du XXe siècle a permis d'unir sur le sol tunisien, dans une expression française et à travers la musique, les deux rives de la Méditerranée par la collaboration d'acteurs tunisiens, français, syriens, libanais… Les rapports humains étant fondamentalement une réciprocité, l'apport de l'autre ne saurait être observé dans une vision à sens unique. L'échange qu'a impliqué la rencontre, tout en construisant la musicologie du quêteur de savoir a également permis le développement du passeur de savoir. Aux deux rives de la Méditerranée, les acteurs partant du sud vers le nord se sont enrichis, ont enrichi leur terre natale et leur terre d'accueil ; et vice-versa.

Mots-clés : Musicologie tunisienne, francophonie, partage, institution.

Yassine Guettat, *Le* mālūf *tunisien : origines et mutations*

Le *mālūf,* répertoire classique de la musique tunisienne, représente encore aujourd'hui une production artistique imposante fondue en un ensemble homogène et typique. Son corpus composé principalement des treize *nūbas* traditionnelles, s'élargit selon les sources, à des formes hors *nūba*, notamment instrumentales. Toutefois, il s'est installé autour de ce répertoire, depuis le début du siècle dernier, de curieuses théories mettant en doute ses origines. Cet article met la lumière sur les problèmes d'appellation de ce répertoire et traite le sujet des origines et des mutations que le *mālūf* tunisien a connu à travers l'étude de quatre ouvrages de référence.

Mots-clés : *Mālūf. Nūba.* Musique. Répertoire. Tunisie.

Lamia Bouhadiba, *Artistes, lois, institutions : les jeux d'influences dans le domaine musical*

S'il est communément admis que le droit exerce une influence sur le domaine musical – notamment à travers les lois relatives à la propriété littéraire et artistique et le rôle des institutions culturelles – il convient de ne pas oublier l'influence des artistes sur l'évolution du droit. Le rapport entre artistes, lois et institutions est en effet construit autour de jeux d'influences réciproques. Nous aborderons ces jeux d'influences en mettant en exergue la contribution des lois et des institutions à l'essor artistique à travers l'encouragement de la création musicale et la préservation du patrimoine musical avant de nous pencher sur la question de l'influence des artistes sur le développement des lois et des institutions en soulignant l'action des musiciens et des musicologues en Tunisie avant et après l'indépendance.

Mots-clés : Lois. Institutions. Artistes. Création musicale. Patrimoine musical.

Nacim Khellal, *L'image de la musique kabyle dans les écrits musico-orientalistes de Francisco Salvador-Daniel et Jules Rouanet*

Musicographes et orientalistes, Francisco Salvador Daniel et Jules Rouanet peuvent être considérés comme les pionniers de l'étude de la musique kabyle en Algérie.
En 1867, Francisco Salvador-Daniel publie : « *Notice* sur la musique kabyle », un travail présenté comme complément d'étude dans un ouvrage de Hanoteau sur les *Poésies populaires de la Kabylie du Jurjura*. Salvador-Daniel analysa les modes utilisés dans la musique kabyle et les compara aux modes grecs. Il présenta une quinzaine de transcriptions musicales. Quant à Jules Rouanet, il aborda la musique kabyle dans un chapitre sur *La musique arabe dans le Maghreb*, publié en 1922 dans l'*Encyclopédie de la musique et dictionnaire du conservatoire*. Il décrivit la société des kabyles et distingua complètement leur musique de la musique arabe et surtout de la musique hispano-mauresque. Il mit l'accent sur l'influence de la musique dite moderne dans son époque, exercée sur les mélodies populaires kabyles. Nous avons scindé ce travail en deux parties distinctes : une première partie où nous avons relaté les écrits autour de cette musique, avec un défilement chronologique des plus anciens aux plus récents ; une seconde, où nous avons essayé à partir des deux études précitées, de déterminer la part de l'intérêt accordé pour la musique kabyle par rapport à l'intérêt général pour les musiques du Maghreb, tout en cernant ses traits caractéristiques, tels que représentés précédemment dans lesdites études en les examinant à la lumière des études et analyses actuelles de celle-ci.

Mots-clés : Musique kabyle. Musique algérienne. Modernisation. Acculturation.

Mohamed Saifallah Ben Abderrazak, *La contribution d'Antonin Laffage à la musicologie francophone du monde arabe*

Il s'agit de mettre l'accent sur l'apport d'Antonin Laffage à la musicologie francophone du monde arabe, à travers ses propres travaux et sa contribution à l'œuvre du Baron d'Erlanger. Antonin Laffage (1858-1926), artiste aux multiples facettes, peu connu des musiciens et des musicologues, compte parmi les personnages incontournables de la vie musicale occidentale de Tunis (de 1882 à 1926). Il était à la fois musicien et musicologue, enseignant, co-fondateur de l'école de musique de Tunis, chef d'orchestre, compositeur, collectionneur d'instruments de musique et éditeur. À partir de 1911, Erlanger lui confia de nombreuses tâches : l'étude de documents, articles et ouvrages anciens et la réalisation de synthèses sur les musiques : égyptienne, hébraïque, grecque, chinoise, persane et arabe ; la collecte de répertoires, de données et d'informations, en rapport avec la pratique de certaines traditions musicales ; la transcription des répertoires musicaux collectés et la sélection des pièces qui serviront d'illustrations musicales. L'étude des archives papiers du baron d'Erlanger, montre combien ce personnage, ô combien occulté, s'est investi dans cette entreprise. Certains documents montrent explicitement comment Laffage fut à l'origine de l'intérêt que porta Erlanger à la musique arabe et qu'il fut à la fois l'instigateur, le conseiller et le maître d'œuvre de tout le projet initial du Baron d'Erlanger.

Mots-clés : Antonin Laffage. Le baron Rodolphe d'Erlanger. Le baron Carra de Vaux. Aḥmad al-Wāfī. Musique arabe. Musique persane. Musique chinoise. Musique grecque. Musique hébraïque.

Anas Ghrab, *Le baron Rodolphe-François d'Erlanger et les débuts de la musicologie francophone en Tunisie*

À travers cette présentation, nous donnerons un aperçu des premiers travaux, qu'on pourrait qualifier de musicologiques, ayant eu lieu en Tunisie. Ces travaux ont pris naissance autour de la figure emblématique du baron Rodolphe-François d'Erlanger et se sont réalisés, en grande partie, en langue française. Nous analyserons particulièrement le contexte de leur élaboration, où, à l'époque coloniale, la personnalité indépendante de Rodolphe d'Erlanger a donné lieu à une synergie entre intervenants ayant des profils différents, ce qui a permis à cette équipe d'aborder des thématiques aussi différentes que l'histoire générale de la musique, la collecte et la traduction de manuscrits arabes, l'étude des systèmes musicaux en pratique dans le monde arabe, l'enregistrement sonore et l'analyse des musiques traditionnelles. Une partie seulement de ces travaux d'envergure a été présentée au Congrès du Caire de 1932 et à travers la publication des six volumes *La musique arabe*. Notre intervention permettra de souligner cette partie oubliée de l'histoire de la discipline musicologique, qui sera déterminante pour l'évolution de la musique et musicologie, non seulement sur le plan national, mais également à un niveau international.

Mots-clés : Rodolphe d'Erlanger. Tunisie. Histoire de la musicologie. Ḥasan Ḥusnī ʿAbd al-Wahhāb. Robert Lachmann. Manuscrits sur la musique. Enregistrements sonores. Congrès du Caire 1932.

Abstracts

Mahmoud Guettat, *Arab Music: Model of a Dialogue Between Cultures*

Charged with symbols, music draws its existence from humanity's adventure. The Arab musical art provides through its long history, and still today, a brilliant demonstration. A "Great Musical Tradition" symbol of a profound symbiosis has emerged as a true language of dialogue and exchange between the different components of the broad Arab-Muslim community. This one, often reduced to the simple Arab-Iranian-Turkish confluence, is actually much larger and more complex (the Andalusian experience represents in this case, an edifying model). Today, despite the constraints of the current context, a real renewal of dialogue continues to impose itself on the Arab music scene, limited certainly, but convinced that we must go ahead of events and not passively wait for the effects of an alienating globalization that risks being fatal. It goes without saying that the best and most effective dialogue, is what music can offer in all its diversity!

Keywords: Arab musical art. Arab musical heritage. Arab Muslims musical area. Great musical tradition. *Nūba*. Arab maqamic tradition. Musical universality. Musical renewal. Musical diversity. Modernism. Globalization.

Mohamed Gouja, *Francophone Arabic and Maghrebi Musicology: the Work of Mahmoud Guettat, Emic Approaches to Musical Traditions*

Professor Mahmoud Guettat represents undeniably one of the most illustrious figures of Tunisia and the Arab world, in Arab, Arab-Muslim, North African and universal Musicology. His general musicological work, which gathers ten books and two hundred published scientific articles, whose 90 are mainly written in French, but also in a smaller proportion, in Spanish, Italian and English constitutes by its diversity and richness an essential scientific reference for all researchers in musicology, history of music and civilization of the Arab-Muslim world, anthropology, sociology of music, as well as in many other areas of musicological thought and investigation.

Keywords: The musicological work of Mahmoud Guettat. Francophone Arabic and Maghrebi musicology. Tunisian Musicology. Anthropology and sociology of music. History of Arab-Muslim music. Maghreb Musical identities.

Samir Becha, *The Institutional Foundation of Musicology in Tunisia: Contexts, Pretexts and Necessities*

The institutional foundation of Musicology in Tunisia has seen the light in 1982 on the basis of the ideas and systematic musicological approaches of the French school. During this period of time, estimated as remarkable at the level of arts and cultures teaching, Mahmoud Guettat had been designated by the Ministry of Cultural Affairs to elaborate a pure Tunisian conception and strategy in order to create the Higher Institute of Music of Tunis. This article deals with the first institutional attempts of Musicology in Tunisia, similarly with contexts, pretexts and the utmost need of the foundation of The Higher Institute of Music of Tunis that Mahmoud Guettat had been priorly the project master.

Keywords: Music. Musicology. Institute, Tunisia.

Fériel Bouhadiba, *Tunisianity, Maghrebinity, Mediterraneanity: to Music the Circles of Belonging*

Defining itself in the sources of its past, in its present and in its futur, the identity is determined in an ontological triadic essence. Analysing the outlines of identity in the links that unite tunisianity, maghrebinity and mediterraneanity implies from the outset taking into consideration this triad and through it the data relative to the prior, the inclusive and the moving. We will be interested in this title to the musical as sphere of appropriation of cultural through what we name: circles of belonging, containing or inclusive circles and dialoguing circles, the whole interacting whith a nomadic content and a sedentary content of the musical.

Keywords: Identity. Tunisianity. Maghrebinity. Mediterraneanity. Belonging.

Fériel Bouhadiba, Fériel Bouhadiba, *Tunisianity, Maghrebinity, Mediterraneanity: to Music the Circles of Belonging*

Pushed by the desire to know, raised by the endurance of the seeker, the history of science was built in large part through the action of great travelers. Strewn with difficulties it is also littered with encounters. The history of the human sciences, wich places the centrality of the human at the heart of their concerns – and especially the history of music and musicology – cannot be separated from the notions of sharing and exchange. If the circulation of knowledge goes hand in hand with the circulation of beings – both effective and virtual through their works – and if we are allowed to think that part of the development of science and intellect is related to the development of human relations, we can therefore observe the construction of the international networks in a given domain through the bilaterality of a human relationship. In the Francophone sphere and in musicology, language has been a major asset for encounter, knowledge of the other, exchange and joint construction of musicological thought. In this article, we will circumscribe our reflection to a certain number of founding musicological exchanges. We are particularly interested in the university road of Mahmoud Guettat in France and in its impact on the construction of tunisian musicology especially in the academic plan through the foundation of the Higher Institute of Music of Tunis. We also refer to Mohamed Zinelabidine and to the human relations that allowed the construction of Franco-tunisian networks and partnerships in musicology. Going back in time, the meeting that took place at Ennejma Ezzahra Palace in Sidi Bou Saïd during the first half oh the 20th century allowed to unite on

Tunisian soil, in a French expression and through music, the two shores of the Mediterranean by the collaboration of Tunisian, French, Syrian and Lebanese actors. Since human relationships are fundamentally reciprocal, the contribution of the other cannot be observed in a one-way vision. The exchange that the encounter involved, while building the musicology of the knowledge seeker also allowed the development of the knowledge smuggler. On both sides of the Mediterranean, actors from the south to the north got richer, enriched their native land and their host land; and vice versa.

Keywords: Tunisian musicology, francophony, sharing, institution.

Yassine Guettat: *Tunisian Mālūf: Origins and Mutations*

The *mālūf*, classical repertory of Tunisian music, still represents today, an imposing artistic production fused into a homogeneous and typical ensemble. His corpus composed mainly by thirteen traditional *nūbas* widens, according to different sources, to forms outside *nūba*, including instrumental ones. However, since the beginning of the last century, this repertory has been filled with curious theories about his origins. This article sheds light on the problems of naming this repertory and deals with the subject of the origins and mutations that the Tunisian *mālūf* has experienced through the study of four reference works.

Keywords: *Mālūf*. *Nūba*. Music. Repertory. Tunisia.

Lamia Bouhadiba, *Artists, Laws, Institutions: the Influence Games in the Musical Field*

If it is commonly accepted that the law influences the musical field – especially through laws relating to literary and artistic property and the role of cultural institutions – it is important not to forget the influence of artists on the evolution of the law. The relationship between artists, laws and institutions is indeed built around reciprocal influences. We shall approach these influence games by highlighting the contributions of laws and institutions to the artistic development through the encouragement of musical creation and the conservation of the musical heritage before addressing the issue of influence of the artists on the development of laws and institutions by highlighting the action of musicians and musicologists in Tunisia before and after the independence.

Keywords: Laws. Institutions. Artists. Musical creation. Musical heritage.

Nacim Khellal, *The Image of Kabyle Music in the Writings Musico-orientalists of Francisco Salvador-Daniel and Jules Rouanet*

Musicographers and orientalists, Francisco Salvador-Daniel and Jules Rouanet can be considered as the pioneers of the study of Kabyle music in Algeria. In 1867 Francisco Salvador Daniel published: "*Notice* sur la musique kabyle", a work presented as a complement to Hanoteau's work on the *Poésies populaires de la Kabylie du Jurjura*. Salvador-Daniel analyzed the modes used in Kabyle music, and compared them to the Greek modes. He presented about fifteen musical transcriptions. As for

Jules Rouanet, he tackled Kabyle music in a chapter on Arab Music in the Maghreb, published in 1922, in the *Encyclopedia of Music and Dictionary of the Conservatoire*. He described the Kabyle society, and completely distinguished their music from Arabic music and especially Hispano-Moorish music. He emphasized the influence of so-called modern music in his era, exerted on the Kabyle folk melodies. We split this work into two distinct parts. A first part where we have related the writings around this music, with a chronological scrolling from the oldest to the most recent. A second, where we have tried from two studies above, to determine the share of interest in Kabyle music compared to the general interest for music of the Maghreb, while identifying its characteristic features, as represented previously in these studies by examining them in light of its current studies and analyses.

Keywords: Kabyle music. Algerian music. Modernization. Acculturation.

Mohamed Saifallah Ben Abderrazak, ***Antonin Laffage's Contribution to Francophone Musicology in the Arab World***

The aim is to focus on Antonin Laffage's contribution to Francophone musicology in the Arab world, through his own work and his contribution to the work of Baron d'Erlanger. Antonin Laffage (1858-1926), a multi-faceted artist, little known to musicians and musicologists, is one of the key figures in the western musical life of Tunis (1882-1926). He was a musician and musicologist, teacher, co-founder of the Tunis School of Music, conductor, composer, collector of musical instruments and publisher. From 1911, Erlanger entrusted him with many tasks: the study of documents, articles and ancient works and the realization of syntheses on music: Egyptian, Hebrew, Greek, Chinese, Persian and Arabic. The collection of directories, data and information related to the practice of certain musical traditions. The transcription of the music directories collected and the selection of the pieces that will serve as musical illustrations. The study of Baron d'Erlanger's paper archives shows how much this character, oh how much obscured, invested himself in this enterprise. Some documents explicitly show how Laffage was at the origin of Erlanger's interest in Arabic music and that he was at the same time the instigator, the counselor and the master of all the initial project of the Baron d Erlanger.

Keywords: Antonin Laffage. Baron Rodolphe d'Erlanger. Baron Carra de Vaux. Aḥmad al-Wāfī. Arabic music. Persian music. Chinese music. Greek music. Hebrew music.

Anas Ghrab, ***The Baron Rodolphe d'Erlanger and the Beginnings of Francophone Musicology in Tunisia***

This paper gives an overview of the first works, which could be described as musicological, that took place in Tunisia. These works were established around the emblematic figure of Baron François Rodolphe d'Erlanger and have been written mainly in French. The independent personality of Rodolphe d'Erlanger gave rise to a synergy between speakers with different profiles, in a colonial context, which allowed this team to address themes as different as the general history of music, the collect and the translation of Arabic manuscripts, the study of musical systems in practice in the Arab world, recording of musical practices and analysis of traditional music. Only part of this large-scale work was presented at the Cairo Congress of 1932 and through the publication of the six volumes *Arab Music*. Our aim is to highlight this unknown part of the history of the musicological discipline, which will be decisive for the evolution of music and musicology, nationally and internationally.

Keywords: Rodolphe d'Erlanger. Tunisia. The history of the musicological discipline. Ḥasan Ḥusnī ʿAbd al-Wahhāb. Robert Lachmann. Manuscripts on music. Sound recordings. Cairo Congress of 1932.

Translittération phonétique des termes arabes et persans

Voyelles

a	◌َ
u	◌ُ
i	◌ِ
ā	ا
ū	و
ī	ي

Consonnes

ʾ	ء	*z*	ز	*q*	ق	*b*	ب	*s*	س
k	ك	*t*	ت	*š*	ش	*g*	گ	*ṯ*	ث
ṣ	ص	*l*	ل	*j*	ج	*ḍ*	ض	*m*	م
ḥ	ح	*ṭ*	ط	*n*	ن	*ḫ*	خ	*ẓ*	ظ
h	ه	*d*	د	ʿ	ع	*w*	و	*ḏ*	ذ
ġ	غ	*y*	ي	*r*	ر	*f*	ف		